んだ
SF

監修・編

大澤博隆

Hirotaka Osawa

編

宮本道人　宮本裕人

Dohjin Miyamoto　Yuto Miyamoto

ハヤカワ新書 023

まえがき：科学技術の啓蒙「だけではない」ＳＦの価値

　本書籍は、人工知能とＳＦに関する相互の関係を調べるプロジェクト「想像力のアップデート：人工知能のデザインフィクション（略称：ＡＩｘＳＦプロジェクト）」の一環として始まった、様々な研究者インタビューを元にして作成したものである。プロジェクト代表として、そもそもなぜ、こうした調査をしようと思ったかを述べておきたい。

　元々の問題意識として、人工知能分野におけるフィクションの影響を感じることが多かった。私自身もそうだが、ＳＦの影響を受けて人工知能の研究に足を踏み入れた、という人は多い。特に、人工知能やロボットといった工学、情報科学の分野におけるＳＦの影響は洋の東西を問わず見られる。日本では例えば『鉄腕アトム』を挙げる研究者は多いが、海外でもアシモフなどの著名な作家の名前が挙がる。ロボットやサイボーグ、サイバースペース、アバター、メタバースといったテクノロジー用語は、ＳＦが由来であったり、ＳＦが使用法を決定づけたりした例である。

　一方で、実際のＳＦの影響は「単にお話に出てくる人工知能に憧れて、それを作りたいから始まった」というだけではない、という感覚もあった。メディアはそうしたわかりやすい話を好む。例えば、鉄腕アトムやドラえもんに憧れて人工知能やロボットを始めた、と公言する人は多い（私もそういう面はある。ドラえもんに救われなければ、この分野には進んでいないと思う）。

科学者が、SFに登場する科学技術に憧れて科学技術を志す、というのは極めてわかりやすい筋立てであり、こうした話を自覚的に語る研究者・開発者もいる。

しかし、こと人工知能分野におけるSF作品からの影響は、そうしたある種、科学技術啓蒙的なビジョン「だけ」ではないように思っていた。実際のところ、SF作品は科学技術が明るい未来を作るものばかりではないし、特に、人工知能についてはネガティブな未来を描くものも多い。また、ポジティブとかネガティブとか、そうした言葉で割り切れないような作品も多く存在する。というより、そうした人間らしい価値観の土台をひっくり返すような清々しさが、SFの醍醐味の一つでもある。

実際、いろいろな研究者に聞くと、一般の人に向けて話す「好きな物語」と、仲間内に話す「好きな物語」がまったく違うこともあった。たとえば、鉄腕アトムと同様に名前が挙がる手塚作品としては『火の鳥：未来編』がある。これは人間とコンピューターの未来における破滅的なストーリーを描いていて、必ずしも明るい物語とは言えない。また、スタニスワフ・レムの『ソラリス』も度々研究者の間で名前が挙がる作品だったが、これはそもそも違う惑星がまるごと知性を持つ、という設定であり、人工物でもない。しかしながら、異なる知性を知り、それと向き合うことを目指した話ではある。また、そもそも狭い意味でのＳＦというよりも、スペキュラティブ・フィクションと呼ばれる現在のＳＦを含むような広い話も挙がることがあった。

人工知能を「生んだ」物語の影響というのは、従来言われているような話よりも遥かに広いのではないか。その点が従来の科学啓蒙的な視点では取りこぼされているのではないか、と考え、研究者に直接影響を聞く調査を始めた。そのため、研究者の範囲は、従来的な意味での人工知能の研究者だけではなく、情報技術や人工知能技術など、隣接する分野の人々に幅広く聞くことにした。

もちろん、工学研究者の私一人でカバーできる範囲では到底ない。そのためインタビューでは、当時プロジェクト研究員で、科学文化作家として活躍していた宮本道人さんに統括的な役割をお願いし、進めていった。プロジェクトメンバーで哲学者の西條玲奈さん、インタラクティブメディア研究者の福地健太郎さん、作家の長谷敏司さんにはインタビューにご協力いただいた他、本書ではコラムも執筆いただいている。メンバーの一人であるビデオゲームＡＩ研究者の三宅陽一郎さんには、取材対象として直接お話をお聞きした。また、もう一人の宮本さんこと、ライターの宮本裕人さんとは、メンバーとともに質問項目を話し合い、企画を進めてきた。早川書房編集者の一ノ瀬翔太さんや石川大我さんにも大きく関わっていただいている。この場を借りて、本調査に関わった方々に御礼申し上げたい。

調査を経るに従って徐々にわかってきたのは、SFの影響範囲の広さである。それはたとえば物語そのものではなく、そこに表された表現であったり、イメージであったりすることも多い。また、その物語が読まれた背景の社会状況も重要であった。本書末尾にはこうした社会状況と、本調査でキーワードとなったSF作品を並べた表があるので、ぜひ確認いただきたい。

語りたいことは多々あるが、まえがきですべて語り尽くせるほど単純ではない。各々の研究者の人々がどのような影響を受けてきたのか、実際に読んで、確かめて欲しい。

慶應義塾大学理工学部准教授／サイエンスフィクション研究開発・実装センター所長
大澤博隆

目次

第1章

思考のストッパーを外せ

暦本純一

暦本純一（れきもと・じゅんいち）
東京大学大学院情報学環教授、ソニーコンピュータサイエンス研究所フェロー・CSO。博士（理学）。1961年生まれ。1986年、東京工業大学理学部情報科学科修士課程修了。日本電気、アルバータ大学を経て、1994年より株式会社ソニーコンピュータサイエンス研究所に勤務。2007年より現職。

■サイボーグ009と人間拡張

——まずは、暦本先生が研究されている「人間拡張」というテーマに出会われたきっかけ、それにまつわるSF体験について教えてください。

東京工業大学の情報科学科を修士で出て、そのあとNECの研究所に就職しました。5〜6年経った頃に海外留学をしたいと思い、カナダのアルバータ大学に客員研究員として入ります。当時、ちょうどバーチャルリアリティ（VR）の第1次ブームがあり、アルバータ大学ではVRを使ったビジュアライゼーションの研究をやっていました。

しかし、当時はまだまだヘッドマウントディスプレイの性能が悪く、午前中に実験をするともうお昼が食べられないくらいVR酔いをしてしまう。そこで、VRよりもオーグメンテッドリアリティ（AR）を使って「視覚を拡張する」という概念にのめり込んでいくことになります。それがAR研究を始めた最初の体験、1992年頃の話です。

1993年に日本に帰ってきて、ソニーコンピュータサイエンス研究所（CSL）に転職をします。そこでつくったのが、「NaviCam」というハンドヘルド型のARデバイスでした。ここでもコンセプトになっているのは、視覚の拡張。SF映画には必ず出てくるような、現実の視界に情報がわーっと表示されるようなものをつくりたかった。その後さらに、ポジショントラッカー付きの液晶カメラを使って、現実空間のなかにCGが浮かんで見えて何人かで共有できるようなデバイスもつくっています。

いま思い返せば、子供の頃は『サイボーグ009』が好きだったので、ああやってアタッチメントを付けたり、時間を止めたり、あるいは見えないものが見えたりするといったキャラクターの能力は、いま行っている「人間拡張」のアイデアにつながっています。研究の最初のルーツは『サイボーグ009』だったんじゃないかと思います。

――子供時代には、ほかにどのようなSF作品に触れていましたか？

最初は小学生の頃ですね。筒井康隆の『かいじゅうゴミイ』などの子供向けのSF作品から入って、小松左京の『日本アパッチ族』を読んだり、小学4年生のときに〈S‐Fマガジン〉を初めて買ったことを覚えています。日本SFの〝御三家〟でいえば、星新一はほぼ全作品読んでいると思います。中学校の感想文ではそうしたSFばかりを取り上げて書いていて、国語の先生に「もっとまともな本を読め」「たまにはちゃんとした文学を読め」と言われた記憶があります（笑）。いちおう漱石も読んでましたけどね。

――海外SFではどのような作品を読みましたか?

最初にはまったのは、マイクル・クライトンの『アンドロメダ病原体』。それからロバート・A・ハインラインの『夏への扉』や『宇宙の戦士』もはまりましたし、アーサー・C・クラークやアイザック・アシモフも当然読みました。高校生の頃は人生のなかで最もSFを読んでいた時期ですが、一時期は「青背」が出るたびに全部買っていたくらいです。SF好きの友だちと競争しながら読んでいたので、その頃はほぼえり好みなく出る順に読んでいます。

高校時代には英語の勉強と称して、カート・ヴォネガットやジェイムズ・ティプトリー・ジュニアを英語のペーパーバックでも読みました。ヴォネガットはノーベル文学賞を獲ってほしいと思っていました。文学として面白いですよね。ギミック的なSFではない世界があるということを知りました。学校の先生が言う「ちゃんとした文学」には違いない。そしてティプトリーといえば、いま僕たちの研究室で行っている人間と人間をテレプレゼンスでつなぐ研究、ウィリアム・ギブスンから借用して「ジャックイン」と総称しているプロジェクトの本当のルーツは彼女の「接続された女」(『愛はさだめ、さだめは死』所収)にあると思っているんです。

あの小説では、「世界一のブス」と作中で描写される女性が、超絶的な美人ではあるけれど意思をもたない人造人間にジャックインして操りますよね。これは『宇宙の戦士』の機動歩兵のようなものと似ているようで、ちょっと違う。ロボットをテレプレゼンスで動かすときには、ロボットは完全にスレイブ（奴隷）ですが、「接続された女」ではスレイブ側も、操られているとはいえ生身の人間である。そこが面白いと思ったんです。大金持ちの男がその女性を見初めちゃうんだけど、それは果たしてどっちを見初めたんだろうと。いまでいうバーチャルＹｏｕＴｕｂｅｒ（ＶＴｕｂｅｒ）にも通ずるところがありますよね。

暦本氏が高校時代に読んでいたペーパーバックの実物。左がティプトリー・ジュニア『故郷から10000光年』、右がヴォネガット・ジュニア『スローターハウス5』。

また考え方として最も影響を受けたのは、スタニスワフ・レムの『ソラリス』や『砂漠の惑星』です。一つひとつは非力で小さな虫みたいなロボットが、集まることで全体として大きな力をもつ、あるいは海が知性をもってしまうといった概念には、非常にアンチヒューマノイド的なところがあって。たとえばアシモフの『われはロボット』は完全にヒューマノイド的な機械の世界ですが、『ソラリス』がそれとは全く異なる世界を提示していることに衝撃を受けた。人間以外の知性体がいるという世界観には非常に影響を受けましたね。

——そのほか幼少時代に影響を受けた体験はありましたか？

やっぱり大阪万博はすごかったです。1970年、小学3年生のときに行きましたが、僕にとってはリニアモーターカーも動く歩道も、プッシュフォンやライトペン、サークルビジョン（360度映像）といったすべてが万博で初めて見たもの。思い描いていた未来がすべてあるという体験は、現在にいたるまであそこでしか体験できなかったことですね。

■フィクションが現実を追いかけた時代

——大学の研究室ではSFの話をするようなことはあったのでしょうか。

ちょうど僕が研究室に入った頃は、マウスが世の中に出現し始めた時期だったんです。テキストだけしか扱えなかったコンピューターがグラフィックも扱えるようになり、UNIX

のようなＯＳも日本に入ってきた。コンピューターの形がどんどん変わっていった時代だったので、研究室のなかでの話も、ＳＦよりは実際のコンピューターについてのものが多かったと思います。

ＳＦのなかでのコンピューター描写という点では、『２００１年宇宙の旅』には影響を受けています。最初に観たのは高校生の頃ですが、いまはなきテアトル東京で、当時はまだ入れ替え制ではなかったので朝から３回続けて観るといったことをやっていました。先ほどの『ソラリス』にも通じる話ですが、『２００１年宇宙の旅』のＨＡＬ ９０００もヒューマノイドではないんです。コンピューターが知能をもっているんだけど、それをあえて人型ロボットとして描いていない。

――ニュースタブレットのような『２００１年宇宙の旅』でのコンピューター描写は、『ブレードランナー』のような後続の作品よりもむしろナチュラルに人の生活に溶け込んでいるように思います。技術的にコンピューターを使えない時代だったからこそ、特撮を駆使してより進んだ未来をイメージすることができたのかもしれません。

そうですね。『２００１年宇宙の旅』では、おそらく本当に２００１年にできているであろうテクノロジーを予測して描いているから、HAL 9000以外はある意味、非常に順当な技術進化をイメージしていたように思います。コンピューター描写の観点で面白いのは、『2001年宇宙の旅』には手を使ったダイレクトマニピュレーションが出てこないこと。タッチスクリーンを飛ばして、音声で操るコンピューター、つまりいまのアレクサに近いものをすでに描いているんです。

『2001年宇宙の旅』が公開された1968年当時、GUI（グラフィカル・ユーザー・インターフェース）はまさに研究されていた最中なので、きっとキューブリックはsketchpadなどのダイレクトマニピュレーション的なコンピューターの存在を知らなかったんじゃないでしょうか。ニュー스タブレットのシーンでも、実は人間はほとんどデバイスを触っていない。「何かニュースを出せ」とHALに頼み、言語をインターフェースとしてコンピューターを操っています。

――いわゆる入出力系の分野では、実世界の研究が先行して、逆にSFが追いついたといえるかもしれません。たとえば『マイノリティ・リポート』の映画ではジェスチャーで操作できるスクリーンが登場しますが、あれもMITの研究者が技術監修をしたといわれています。

それは正しい理解かもしれないですね。アシモフのロボットのような「話せる機械」という概念はもっと昔からあり、現実の技術が想像に追いつけない時代が長らくあった。一方でVRやダイレクトマニピュレーションは技術が先に生まれて、後から映画のなかに入ってきたような印象をもちます。

だからサイバーパンクが誕生する前は、いわゆる「ロボットSF」しかなかったんですよね。当時のフィクションのなかで描かれるコンピューターといえば、大型計算機のようなイメージか、あるいはものすごく擬人的なロボットかの二択しかなく、その中間が抜けていたって、コンピューターサイエンスの知見がちゃんとSFのなかにも入ってくるようになった〔編注：ティプトリーやジョン・ヴァーリイの個々の作品では描かれることはあっても、大きなムーブメントとして扱われることはなかった〕。それがウィリアム・ギブスンなどが登場する80年代になったといえるのかもしれません。

もうひとつ、SF映画に出てきそうであまり出てこないのが携帯電話です。一般の人々が携帯を持っているという世界観がなく、描かれたとしてもいきなり『ディック・トレイシー』のような腕時計型デバイスにまでいってしまう。だから、SF的な想像力が技術開発を引っ張っていった面ももちろんありますが、逆に作家たちが思いつかなかったものを技術者がつくり、あとからフィクションが取り入れたものもあるのだと思います。

■人間と機械のエコシステム

――フィクションからは離れてしまいますが、実在する思想家や技術者に影響を受けた考えはありますか？

　梅棹忠夫の『文明の生態史観』やケヴィン・ケリーの『テクニウム』、ジャレド・ダイアモンドの『銃・病原菌・鉄』には影響を受けています。これらの思想家たちは、人間の存在を良い・悪いと考えるのではなく、人間や文明をを自然のエコシステムのひとつと捉えている。仮に人類が絶滅したとしても、それは針葉樹と広葉樹のどっちが生き残ったかと同じレベルの話であり、それが正しい・正しくないというふうには考えないんです。

　たとえば『文明の生態史観』は高校生のときに読んだものですが、梅棹が言う「イギリスと日本は生態学的に見れば同じ」という考えは、歴史を学んだだけではなかなかそう思えないものですよね。人間の文化的、歴史的、あるいは宗教的な価値観をパッと捨てて、宇宙から人類を眺めるような俯瞰的な視点には大きく影響を受けています。

　僕はあまりヒューマノイド研究には興味がないんですけど、それは人型のロボットをつくる行為の背景には「人間の形が最も優れている」という、キリスト教的ともいえる価値観を感じてしまうからかもしれません。同じく影響を受けたスタニスワフ・レムにしても、知性をもつ存在として人間ではなく海を描いている。「人間が最も偉い」という世界観ではないんです。エコシステム、あるいはサイバネティックシステムのような視点で、すべてをシステムの一部として捉える価値観と言うことができるでしょう。

――そうした「脱人間中心的」な思想で、いま暦本先生がどのようなテクノロジーを実現しようとしているのか、あるいはどのような領域にフォーカスして研究を行っているのかをお聞かせください。

ひとつは先ほども触れたように、ウィリアム・ギブスンが生み出した言葉である「ジャックイン」をテーマに研究をしています。「サイバースペースに没入する」というもともとの概念を人間にまで広げて、人間同士の感覚をつなげることによって何ができるようになるのかを探りたい。

たとえばあるスキルを習得するには1万時間が必要とよくいわれますが、それは本当なのか？　もっとショートカットしてもいいんじゃないか？　と思うんです。能力というのは人間から人間に移動できないものだと思われていますが、ある個人が別の誰かにジャックインすることによって、スキルや経験を通信できたり、アーカイブやエディット、あるいはダウンロードし直したりすることはできないのかと考えています。実際に現在、内視鏡の達人といわれる医師と協力しながら、その人のスキルを他人にシェアするための研究を行っています。

ほかにも、2014年に開発した「ジャックイン・ヘッド」は360度カメラを使うことで他人の視覚にジャックインできるデバイスです。たとえばスポーツ選手にこのデバイスを頭につけて試合をしてもらうと、観戦する僕たちはVRヘッドマウントディスプレイを通じて選手の視野をリアルタイムで追体験できる。エンターテイメントの新しい形といえます。

ジャックイン・ヘッドの元ネタは1983年の映画『ブレインストーム』で、ヘッドギアのデザインまで似せています。『ブレインストーム』ではBMI（ブレイン・マシン・インターフェース）技術によって脳波を計測することで人の体験を記録し、それを他人に転送したり、繰り返し再生することで同じ感覚を体験できたりするような世界を描いています。物語が進むと、セックス時のテープを無限に再生して頭がおかしくなってしまう人が出てきたり、「死ぬ瞬間の脳」を記録したテープが出てきたりする。この映画にインスパイアされて、BMIは難しいけどカメラだったらできるのではないかと考えたんです。これにティプトリーの「人間と人間が接続される」というアイデアがくっついて、ジャックイン・ヘッドが生まれました。

もうひとつのテーマは、人間とＡＩの融合。具体的には、超音波エコーを使って、口パクだけでＡＩアシスタントに指示を出せるようにするための研究を行っています。現在の音声アシスタントに指示をするためには実際に声を出さなければいけませんが、外にいるときなど携帯に向かって話せないときもありますよね。

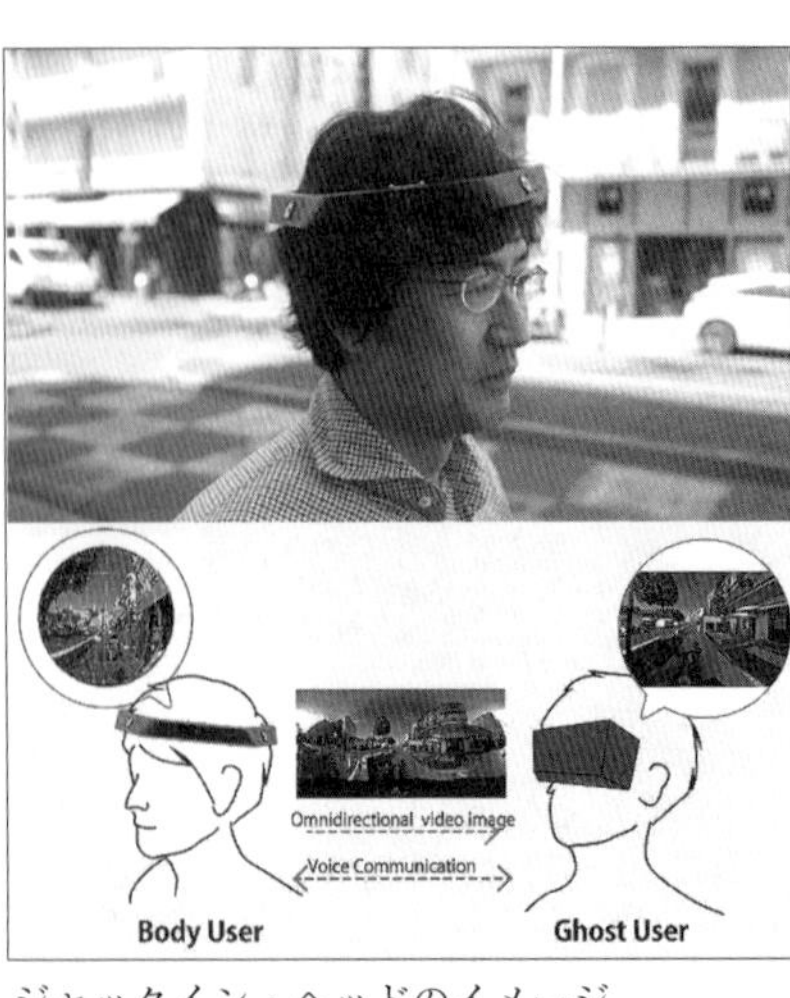

ジャックイン・ヘッドのイメージ

そこで喉の動きを読み取るデバイスを首に装着し、口パクをするときの舌や喉の動きをディープラーニングで学習させることができれば、口パクだけでＡＩアシスタントと話せるようになる。おそらく未来のウェアラブルデバイスはこのように首につけるものになり、自分の頭のなかで考えるだけでコンピューターと会話ができるようになると考えています。

——ハリウッド映画では「人間 vs AI」という対立軸が描かれることが多いですが、暦本先生はあくまで人間とAIがいかに共進化できるかというところに焦点を当てられているのだと、お話を聞きながら思いました。

そうですね。梅棹忠夫が『文明の生態史観』で語った世界観をAIや機械にも当てはめて、人間も機械も同様に存在するエコシステムがどのように進化していくのか、というところに興味があります。小松左京もかつて「機械化人類学」の妄想」(『地球社会学の構想』所収)というエッセイを書いていますが、「人と機械のエコシステム」はSFのなかでも普遍的に追求してきたテーマだと思います。

——こうした技術が、逆にフィクションの世界にフィードバックされるような流れというのは、現在ではどれくらいあるとお考えでしょうか?

昨年、作家の上田岳弘さんと対談をさせていただいたのですが、のちに上田さんはインタビュー(〈文學界〉2019年3月号)のなかで、僕との対談が芥川賞受賞作『ニムロッド』のひとつのインスピレーションになったとおっしゃっていただいています。上田さんはSF

と純文学を両立させている作家のひとりだと思いますが、同じように近年は、カズオ・イシグロなどノーベル賞級の文学者がＳＦのテイストを取り入れることが増えてきているように思います。

それは要するに、人が人を好きになって……といった話をいつまでもするのではなく、ホモ・サピエンスは今後どうなっていくのか？　人間性とは何か？　といった本質的な問いを考えるためには、どうしてもＳＦ的な視点が必要になってくるからでしょう。そうした人類全体の話を書くためには、現在の社会で起きているテクノロジーの進化を抜きにしては語れなくなっているといえるかもしれません。

「シンギュラリティ」という言葉についても、ＳＦ作家であるヴァーナー・ヴィンジと科学者であるレイ・カーツワイルの２人によって社会に広まることになりました。そのようにＳＦが単なるギミックの紹介に留まらず、人類全体にかかわる思想レベルで社会に影響を与えるようになってきているんじゃないかと思います。

ただ一方で、映画『トランセンデンス』のようにＳＦが人々に過度に単純化されたメッセージを伝えてしまうこともあります。「２０４５年にＡＩが人間を超える」と言った人は誰もいないのに、この映画によってシンギュラリティという言葉が間違って広まってしまった。要は囲碁コンピューターに人間が勝った・負けた、といった話の延長の考えです。そうした単純化された話ではなく、ＡＩを考えることは人類のこれからのあり方を考えることであるというメッセージは、ＳＦ界がもっと啓蒙していってほしいとも思っています。

■未来をスペキュレーションすること

――とはいえ、機械の反乱は繰り返し描かれているモチーフでもあって、人間に備わっている根源的な恐怖感と結びついているとも思います。暦本先生は、そうした「ディストピアもの」についてはどのように読まれてきましたか？

星新一の『声の網』やヴォネガットの『プレイヤー・ピアノ』などは読んできましたが、怖いとは思っていなかったです。コンピューターに支配されるというシナリオを読んでも、ある意味ではユーモラスでもあるというか。そういう世界も来るかもしれない、くらいのイメージでしたね。

ただ最近思うのは、現実社会が実際に沈没しているときに〝沈没した小説〟は書けないのではないか、ということです。小松左京の『日本沈没』が大きなインパクトをもったのは、現実の日本社会が上り調子のときに、「でも日本はこうなるかもしれないんだ」というアンチテーゼ的なメッセージがあったからです。しかし、いまの日本を現実よりも暗く書くと、もう暗すぎて読めないいんじゃないかと。

――たしかに「AI×SFプロジェクト」に参加されている長谷敏司さんや藤井太洋さんも、なるべく現実よりは明るく書くように心がけているとおっしゃっていたことがあります。

いまの世界をそのままリアルに書くと、もう既にディストピアになってしまうところはありますよね。しかし一方で、スタニスワフ・レムも旧ソ連時代のポーランドの作家なので、必ずしも現実がハッピーなときに良いSFが生まれるとは限らない。SFの任務の半分以上は社会批判をすることだとも思うので、やはり現実が厳しいときにこそ名作が生まれますよね。そういう意味では、いまの日本もチャンスかもしれない（笑）。

――歴史的には共産国から良いSFが生まれていることもあるので、現在はそれが旧ソ連から中国に移っていると考えることもできるかもしれません。社会批判のほかに、SFが現在の、あるいは未来の社会に貢献できることについてはどのようにお考えでしょうか？

テクノロジーが社会をどう変えていくのかということについて、いろいろな方法でシミュレーションができるのはSFの力ですよね。良い・悪いという判断をするのではなく、「こうなるかもしれない」といういろいろな可能性を示してくれるのは大きいと思います。

現実世界では大義名分が多すぎるので「べき論」に陥りがちなんだけど、SFなら個人の意見としては語れないような極端な世界を描くこともできる。その物語を読んで、この世界には住みたいとか住みたくないといったことを読者に考えてもらうことができます。思考のストッパーみたいなものをぴゅっと外せるのは、SFにこそできることですよね。

――人によってはSFを「スペキュラティブ・フィクション」と捉える人もいますし、まさにユートピア・ディストピアを含めていろいろな選択肢を提示して、それをもとに考えてもらうツールにはなりますよね。

そう思います。おそらくいま、AIや未来について議論するときには必ずといっていいほど、SF作家がメンバーに加わりますよね。それは、普通の技術者のイマジネーションだけでは想像できない世界、解けない問いがあるからだと思います。

——そういう意味で、ご自身の仕事をスペキュレーションの一環だというふうに捉えられることはありますか？

それはありますね。3割くらいは「役に立つ」という言い訳をしつつ、7割くらいがスペキュレーション。思いついたからやっちゃえ、みたいなところはあります。

たとえば、遠隔地にいる指示者の顔を映したディスプレイを代理人が装着して指示者本人のように振る舞う「カメレオンマスク」（通称：人間Uber）はディストピアのように見えますが、人の言いなりになって動くことが意外と幸福感をもたらすことがわかったりする。難しいことを考えることなく、純粋に人の役に立っている感覚だけは維持されるので自己肯定感が高まるんです。もちろん一生やるのは嫌だけど、実験で1時間だけやれと言われたら喜んでやる人は多い。これは学生さんの発案から生まれた実験ですが、Uberのように賃金が発生するかたちで、動けない人のために特定の作業を代替するようなサービスにつながる可能

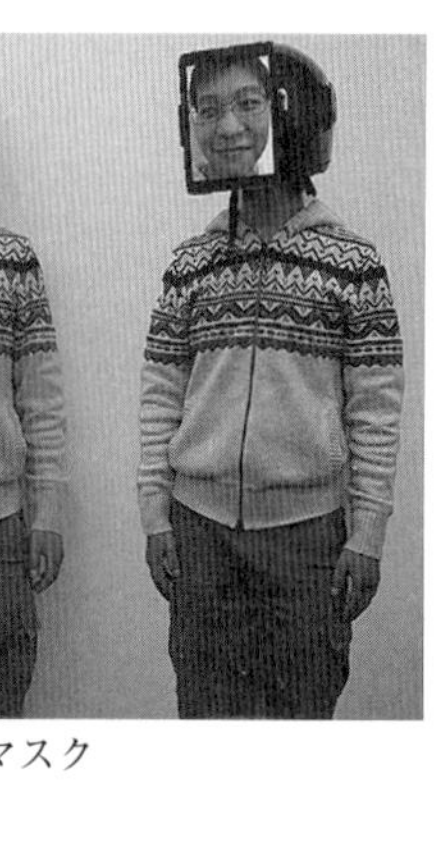
カメレオンマスク

性もあります。

もちろん科学にエシックス（倫理）は必要ですが、「科学者の役割はこうあるべき」という考えに縛られすぎるのはあまり良くないんじゃないかと思っています。科学者は時々は変なことや悪いいたずらもしながら、転んだりして、でも実はそこから拾ったものがよかったということも往々にしてありますから。そしてそれは、ＳＦ作家にもいえることでしょう。ひとりの作家がすべてを網羅することはできないじゃないですか。だから、すごいディストピア的なイメージを提示する人がいてもいいし、政治的にも倫理的にもいろいろな立場があっていい。いろんな人がいろんなことをやっていくほうが、トータルで見れば社会は幸福になるんじゃないかと思います。

――ＳＦ作家にもっとスペキュレーションしてほしい、思考実験をしてほしいと思うテーマはありますか？　あるいはいまのＳＦにもっとこういうジャンルがあったらいいのではと思うものがあれば教えてください。

人々のエシックスが完全に反転してしまっている世界を描いた作品というのはあるんでしょうか。善悪の概念やロジックがわれわれの社会とはまったく違っているけれど、そのなかではきちんと整合がとれているような世界です。たとえば中世の時代において最も重要なのは名誉であり、だからこそ人々は命を危険に晒してまで決闘をしていたわけですよね。合理的な行動ではないけれど、その時代のエシックスとしては整合がとれている。

そうした単なる技術的な外挿に留まらない思考実験、常識から外れた世界の物語は読んでみたいですね。たとえばベーシックインカムにしても、もし本当に実装されたときに人は幸せに生きていけるのか、あるいはディストピアになってしまうのかは誰にもわからない。そうした未来の社会のスペキュレーションはすべきだと思います。

それから、食のSFというのも読んでみたい。いま、フードサイエンスがすごいじゃないですか。食は、産業でもあり文化でもあり、健康や医療にもつながっている。これまでの食SFだと映画『ソイレント・グリーン』や筒井康隆「最高級有機質肥料」のような極端なもののしかありませんでしたが、今後サイエンスの進化によって「おいしい」という概念そのものが変わっていったときに、社会や文化がどう変わっていくのかということには興味があります。

■ドラえもんの願望カタログ

――エンジニアや研究者に対して、想像力を広げてもらうためにお薦めしている作品はありますか?

『ドラえもん』はよく勧めていますね。『ドラえもん』のすごいところは、最初のアイデアが必ずしもうまくいくわけじゃないということを示しているところ。ドラえもんに出してもらった道具を使っても、必ずのび太が失敗するじゃないですか。つまり、技術には使い方によって良い面・悪い面があるということを示しているわけですよね。

それから「どこでもドア」はつくれないかもしれないけどテレビ会議なら実現できるというように、あるいは「タケコプター」はつくれないけどドローンにジャックインすることはできるというように、ドラえもんの道具はちょっと視点をずらすと、がぜん現実的な話になるんです。一見すると実現不可能な道具に見えても、現実の世界にあるどんな技術ならのび太の「願望」を叶えることができるかを考える題材になります。

研究をするにあたって人間の願望はすごく重要で、『ドラえもん』では一つひとつの道具が「願望カタログ」にもなっている。たとえば、本棚をつくるためには釘を打たなくてもボンドを使えばいいかもしれない。そうした「そもそも本当にやりたい願望は何だろう?」という問いを考えるきっかけになる作品だと思います。CSLには「研究参考図書」として買った『ドラえもん』が全巻揃っていました（笑）。

――最後に、暦本研究室に将来入りたいと思うような大学1年生にお薦めするSF小説を教えてください。

本当に時代を超えてすごいと思うのは『ソラリス』です。単なるギミックとしてのSFではなく、人間について、ものすごく大きなスケールで考える視点を与えてくれる。SFというジャンルにもそういう小説があるんだよということは、伝えたいですね。国語の先生にも納得してもらえるのではないでしょうか。

第2章
「歩行」に魅せられて

梶田秀司

梶田秀司（かじた・しゅうじ）
中部大学理工学部AIロボティクス学科教授。1961年生まれ。1985年、東京工業大学大学院修士課程修了（制御工学専攻）。同年、通産省工業技術院機械技術研究所に入所し、二足歩行ロボット等の動的制御技術の研究に従事。1996年2月より1年間、カリフォルニア工科大学客員研究員。1996年3月、東京工業大学より博士号（工学）を取得。2001年より組織改変に伴い産業技術総合研究所職員、2021年3月に定年退職、同年6月より現職。

■ヒューマノイドで星雲賞受賞

――まず、梶田先生のご研究内容について教えてください。

二足歩行制御や等身大のヒューマノイド（人間型）ロボットの研究開発を行っています。2007年から2009年の約2年間は産業技術総合研究所・知能システム研究部門のヒューマノイド研究グループ長として、HRP－4C、通称「未夢（ミーム）」というロボットの開発責任者を務めました。

未夢は人間のプロポーションにできるだけ近づけ、エンタメに特化させたヒューマノイドです。たとえば、ファッションデザイナーの桂由美さんにロボット用のウェディングドレスをデザインしてもらって、それを着た未夢が桂さんのウェディングショーでランウェイを歩きました。それから、ヤマハさんの展示ブースで未夢に初音ミクの格好をさせて歌わせたり、さらには、人間のダンサーさんと一緒に歌って踊るというショーを東京とパリで披露したこともあります。このときはTRFのSAMさんに振りつけをお願いしました〔注：未夢を使ったこれらのイベントのマネージメントを行ったのは、梶田の次にグループ長を務めた横井一仁（よこいかずひと）さんです。そのもとで、梶田は未夢の制御システム開発とメインテナンスを担当しました〕。

――夢の前にはどのような研究をされていましたか？

さかのぼってお話しすると、通称産業省（現：経済産業省）がＨＲＰ（Humanoid Robotics Project）を立ち上げたのが１９９８年のことです。このプロジェクトには総額で46億円が投入されました。その背景には、１９９６年、本田技術研究所が二足歩行ロボット「Ｐ２」を発表したことがあります。「二足歩行を実現するのはものすごく難しくて、企業でできるようなものではない」というのがそれまでの大学や研究所の研究者の認識だったのに、ＳＦ映画に出てくるような二足歩行ロボットがいきなり現れたのです。当初は大変ショックを受けましたが、結局はそのおかげで国の予算がしっかり出て、これがＨＲＰにつながっていきます。

僕はプロジェクトの立ち上げと同時にＨＲＰに参加し、最初はホンダが開発した身長１・６ｍ、体重１１６kgのヒューマノイドロボットであるＨＲＰ‐１を使っていろいろな実験をしました。面白かったものの一つに「スーパーコックピット」があります。ロボットが見ている視野を大きなスクリーンに映し出して、あたかも自分がロボット自身になったかのようにロボットを操縦する装置ですが、映像の揺れによる「乗り物酔い」を改善するために、オペレーターの座部にロボットの振動が伝わるようになっているのがポイントです。

次に、川田工業株式会社、株式会社安川電機、清水建設株式会社と協力して、ＨＲＰ－２Ｐを作りました。開発の中心となった川田工業は橋梁や鉄骨の会社ですが、当時ヘリコプターの開発も行っていました。空を飛ぶものを作っているエンジニアは、非常に軽量な構造を作れます。ＨＲＰ－２Ｐは、その川田工業の構造設計技術を活かして、通常の人間の身長・体重くらいに作り上げることができました。このＨＲＰ－２Ｐは、机――といっても発泡スチロール製ですが――を人間と一緒に運ぶような協調作業ができます。さらに、押されて転倒した場合でも、素早く体を丸めて衝撃を吸収し、その後、自力で立ち上がる事の可能な、世界初の等身大のロボットになりました。

翌年開発したのが身長１・54ｍ、体重58㎏のＨＲＰ－２です。先ほどのＨＲＰ－２Ｐには「プロトタイプ」の意味でＰが付いていましたが、このＰが外れたものがＨＲＰ－２。ＨＲＰ－２は、発泡スチロールよりもう少し重いパネルを持ち上げて、人間と一緒に運搬できるようになりました。

このロボットを使っていろいろと役に立つことをやって、人の役に立つヒューマノイドを作っていこう――という話だったのが、途中でエンタメ方向に走ります。「踊りなどの伝統芸能をロボットにマスターさせれば、永遠に未来に伝えられる」というコンセプトのもと、

左：HRP-4C（未夢）、右：HRP-2
©国立研究開発法人産業技術総合研究所

東京大学の池内克史先生と共同研究を行いました。ただしそれは、人間が踊っているところをロボットが見て、内蔵されたＡＩで瞬間的に踊りを再現できる、みたいなものではまったくありません。踊りの動作をコンピューターに取り込んで、我々のグループの中岡慎一郎研究員が延々ああでもない、こうでもないと修正をかけて、半年ぐらいかけてやっとＨＲＰ－２は「会津磐梯山踊り」を踊れるようになりました。

ＨＲＰ－２の外形デザイン・イメージを担当して下さったのは出渕裕〔編注：『ガンダム』や『パトレイバー』シリーズなどの作品でメカデザインやキャラクターデザインを手がける〕で、このデザインのおかげでＨＲＰ－２は星雲賞を頂けることになりました。

■ＳＦに描かれるロボットを作りたい

――出渕裕さんをデザインに起用されたのにはどういう経緯があったのでしょう？

開発メンバーの一人に吉見隆さんというコアなＳＦファンがいて、出渕さんを知っているから紹介するよ、と。後に星雲賞授賞式があった時にも吉見さんに連れられて初めてＳＦ大会に参加して、満喫させていただきました。それ以来、ＳＦ大会にはほとんど毎年のように顔を出しています。出渕さんデザインのロボットがあったおかげで研究メンバーにフランスの方が来てくれる、といった僥倖もありました。

ちなみに、今うちの研究室は、メンバーの半分ぐらいがフランス人なんですよ。フランスのすごい優秀な人たちがわざわざ日本に来てヒューマノイドの研究をする大きな理由があるんです。それはなんと、『ＵＦＯロボ　グレンダイザー』（フランスでの放映タイトルは『ゴルドラック（Goldorak）』）！　このアニメはフランスで驚異的な視聴率を得たそうです。その時にはまった世代が今、ロボット研究者になっている。だから彼らは日本のヒューマノイドに憧れとリスペクトを持っているわけです。

――それは面白いですね。逆に、日本の研究者でヒューマノイドを専門にする若い人たちはどんな作品から影響を受けているのでしょうか。

今の一番若い世代はともかくとして、中堅どころはもう完全に『ガンダム』ですよね。ガンダムを作りたくてロボット研究者になったという人はいっぱいいます。

——先生ご自身が、ＳＦに登場するロボットで影響を受けたものはありますか？

僕はホンダのロボットが出てヒューマノイドに転向するまでは、ずっと膝が逆折れするタイプの鳥型の歩行ロボットをやっていまして、元々は『スター・ウォーズ』のＡＴ‐ＳＴウォーカーに影響を受けています。ＡＴ‐ＳＴウォーカーが林のなかを動いていって、イウォークに攻撃され、ワイヤを引っ張られて足がグニャッとなって、バランスが取れなくなってグシャッとつぶれる場面、あれはビジュアルとしてすごく印象的でした。格好いいのと同時に、これを実際に作るとしたらどうやって作ればいいんだろう、と。『スター・ウォーズ』といえば、大学４年のときロボット技術研究会というサークルで、Ｒ２‐Ｄ２的なロボットを作ったこともあります。あれは要するに松葉づえを突いて１本足で歩くような感じですが、まさにあの構造を真似しました。

それから、『超時空要塞マクロス』に出てくるロボットも印象的で、博論のときは自分のロボットを「メルトラン」と名付けたくらい（笑）。当時勤めていた機械技術研究所（現・産総研）の略称「MEL」をもじったのと同時に、『マクロス』からも取っています〔編注：作中に登場する異星人の通称が「メルトラン」〕。リアルタイムの放映は、大学院生の頃にサークルの部室で見ていました。同じスタジオぬえ原作ということで言うと、『クラッシャージョウ』に出てくるメカの独特な形状にもインスパイアされています。あとは『スペースコブラ』ですね。人が鳥型メカに乗って二足歩行で岩場を歩いていく場面があるのですが、レーザーポインターか何かで足の着く位置を指定しながら操縦していて、そういったインターフェースに面白さを感じました。あれを作るとしたらどうやればいいんだろうなと、やっぱりずっと考えていました。

梶田氏が大学時代にR2-D2にインスパイアされて作ったロボット

■「二足歩行」の夢

――HRP‐2の後はどのような研究を？

ＨＲＰ－２の踊りの受けが良かったので、先ほどお話しした未夢のプロジェクトが始まりました。また、未夢の研究を行っている最中に東日本大震災が起こりました。福島の原発事故では、ロボットがまるで役に立たなかった。そのことが世界中のロボット研究者にショックを与え、「ＤＡＲＰＡロボティクス・チャレンジ」が始まりました。同様の事故が次に起きたときに活躍できるロボットを開発しようというコンセプトのもと、アメリカの国防総省の研究機関が賞金付きで全世界にアナウンスをして、参加を募ったものです。これにわれわれも参加しました。そうそう、先ほどの話で言うと、ＤＡＲＰＡロボティクス・チャレンジのプロジェクトマネジャーをやっていたギル・プラットは『鉄人28号』（アメリカでの放映タイトルは『ジャイガンター（Gigantor）』）が大好きだったそうです。

そして最近は、ＨＲＰ－５Ｐという、重さ約13kgの石膏ボードを持って壁にくぎ付けをすることができる、建築現場での使用を想定したロボットを作っています。

――ヒューマノイドにはどのようなこだわりがあるのでしょうか？　というのも、機能を優先するなら人型である必要はなさそうです。足よりもタイヤのほうが可動性は高いかもしれないし、『スター・ウォーズ』のＣ－３ＰＯとＲ２－Ｄ２のどちらがそばにいてかわいいかといったら、Ｒ２－Ｄ２という人も多いかもしれません。

僕がこだわっているのは、人型というより「歩行」なんです。二足歩行、2本足で歩くことに、延々とこだわり続けている。

その理由としてはまず、階段の上り下りは車輪ではできません。「パラリンピックをやるのに東京は全然バリアフリーじゃない」と批判されているように、結局のところ我々の社会は二足歩行を前提としている。これが、一つの実利的な理由です。

もう一つは、二足歩行自体の謎に興味があります。われわれ人間はごく普通に歩いているときでも、「動歩行」といって重心が安定な範囲をかなり外れる動き方をします。いわば転びながら歩いているようなものなのです。僕は、なんで人間はそれを無意識にできてしまうのか、という疑問を解明したかったんです。それが理解できたなら、毎日当たり前のように歩いている70億の人類のなかで、僕一人だけが二足歩行を理解したよと言えますからね。これが研究の魅力、モチベーションになっています。

――なるほど。そうした探求心を形作ったフィクション、研究者や技術者という進路に影響したフィクションは何かありますか?

博士という職業を知ったのはおそらく『鉄腕アトム』のお茶の水博士からだと思いますが、お茶の水博士にリアリティはあまりありませんでした。——とはいえ、小さい頃は友達と遊ぶ時、大体僕は博士キャラをやっていましたね。博士は戦って死ななくていいですから（笑）。

影響を受けた博士像は、小松左京『日本沈没』の田所博士ですね。僕の活字SFの入り口は『日本沈没』なんですよ。読んだのは中学1年生のときなので、背伸びをして読んでいて「全然分からん」と思いました。そんななかでも印象的だったのは、田所博士が渡老人に「科学者にとって一番大切なものは何だと思うかね」と聞かれて「勘です」と答える場面です。それは僕にはすごく応援になりました。もしもあそこで田所博士が「緻密な計算と論理的思考です」とか答えていたら僕はもうついていけなかったかもしれないけれども、勘だったら何とかなるかもしれない、勘だったら僕も学者になれるかもしれない、と思ったのです。

——それより前には、どんなSF体験がありましたか？

小学生の頃は学研の〈科学〉と〈学習〉を読んでいました。僕にとって忘れられない漫画が、『ぶんぶんのぼうけん』です。これは〈科学〉の2年生に載っていました。ぶんぶんというのは6本足の昆虫型ロボットで、空をプロペラで飛ぶマイクロドローンみたいな先進的なデザインなんです。昆虫の世界を体験するために開発されたロボットで、たとえば地下にもぐってセミの幼虫と話をしたりするという話が印象的でした。

それから『快獣ブースカ』を見ていました。飼い主の大作少年が発明少年で、博士キャラとしては珍しく格好良かったんですよね。ブースカは、この少年がイグアナに特別な栄養剤を与えたらいきなり人間みたいになった、という怪獣です。

『鉄腕アトム』も、当然のようにかじりついて見ていた世代です。ただし、『鉄腕アトム』はあんまりメカとしては面白くなくて、そのちょっと後に放映された『マジンガーZ』のほうが僕は好きでした。あの巨大なものが歩くということがウリで、第1話では主人公がうまく操縦できない。ロボットを操縦するのは難しいんだということを描いています。そこに『鉄腕アトム』とはまったく違う、エンジニアリングの面白さがありました。エンディングに出てくる設計図をいまだに覚えていて、マジンガーZの足のところに大きいコイルばねが入っているんですよね。ばねが要るのかな、どうなのかな、と思いながら見ていました。

――そんなに小さい頃から、ロボットの足に着目されていたんですね。科学や技術がお好きだったんでしょうか。

小学校の頃にはアポロの月着陸に完全にはまっていて、アポロ計画の絵ばかり描いていました。NASAの管制センターのエンジニアをやりたかったんですね。見るからに複雑なコンソールがぶわーっと並んでいて、何か難しげなことをやっている。格好いいじゃないですか。ニール・アームストロングの「一人の人間にとっては小さな一歩だが、人類にとっての大きな飛躍である」という言葉がまた良くて、人類という言葉をあそこで使ったのがすごい。それはもう直撃で、インプリント（刷り込み）されちゃいましたね。

——やっぱり「一歩」なんですね。アポロはたしかに、アームストロング船長の足跡など、人間が2本の足で月に立ったということがクローズアップされた出来事でした。

足跡に関しては、実は僕はこれをネタにして小学校の頃にSFを書いています。あの足跡の形、三葉虫に見えません？　この三葉虫に絡めて、人類が核戦争で滅びるんだけれども、月に植民して生き残って、ふるさとを忘れてしまうというような、下手くそなSFです。もう黒歴史に属します。たぶん、今見ると頭を抱えます……。

■SF仲間からの影響

――そんな梶田少年が、中学1年生になって『日本沈没』でSF小説というものを知ると。その後はどのようなSFに親しまれていましたか？

中学の頃は、小松左京から入って、筒井康隆や星新一をよく読んでいました。その後、しばらくブランクがあって小説から離れたんですけれども、あらためて活字SFに戻ってきたのは大学に入ってからです。周りで活字SFを読んでいる人が多くて、そこで出会ったのがジェイムズ・P・ホーガンです。

ホーガンの『未来の二つの顔』は今読んでも面白い、ロボットとAIがテーマのSFです。小説のなかで、産業用ロボットのプラントを停止させようとしてあちこちの電源を抜いてみたり、コンピューターチップを外してみたりするんだけれども、そうすると自動的に次々とドローンが飛んできてチップを差し直したり、モーターをはずしても蟹のようなロボットが現れて元どおりにしてしまって、どうやってもプラントを止められない。これは未だに夢のような技術で、本当に印象的でしたね。しかも、80年代のカッティングエッジな科学的知見をちゃんとフォローしていました。ホーガンはMITのマーヴィン・ミンスキー〔編注：「AIの父」と呼ばれたコンピューター科学者〕のところに行ってアドバイスを受けていて、フレームマッチングアルゴリズムなどの技術が作中に出てきます。

それと並行して、アーサー・C・クラークやアイザック・アシモフといった古典も読んでいました。クラークの『2001年宇宙の旅』は僕が大学に入ってからリバイバルのブームがあって、何度も映画を見ては、ああでもないこうでもないと友人と議論していました。この作品にもミンスキーがアドバイザーとして参加していて、作中に名前も出てきます。HAL 9000の開発ストーリーはすごくリアルに感じました。小説がまたよく書けているんですよね。かなり直撃を食らって、僕はだいぶその頃の僕でできている気がします。

――そこから大学院に入って、『マクロス』などに影響を受けるんですね。大学院の後はいかがでしょうか？

筑波の機械技術研究所にやってきた頃は、知り合いにやたらと濃いSFファンがいまして。彼がDAICON FILM〔編注：1981年から1985年にかけて活動した、アニメ・特撮を中心とする自主映画の同人制作集団〕のビデオテープを貸してくれたりして、いわゆる濃いSFマニア的な情報はその辺で仕入れた感があります。

あと、筑波は陸の孤島。要するにやることがないので、夜になるとみんなでレーザーディスクの上映会をやるんですよ。誰かの家に集まって、じゃあこれから『未来少年コナン』の全話上映を数日かけてやるね、みたいなノリがありました。『ボトムズ』『トップをねらえ！』『ガンダム』もその流れでことごとく仕込まれました。海外の映画だと『ロボコップ』『ブレードランナー』『ターミネーター』など、当然一通りその辺はさらうわけです。

——研究仲間で一緒に映像を見て、科学考証の話題になったりもするんでしょうか？

唯一僕が覚えているのは、DAICONビデオにぐちゃぐちゃと様々なキャラクターが出てくるのを、いちいちコマを一時停止しながら「このキャラが出ている」とチェックしていたことです。SF研というか、現代視覚文化研究会的な感じでしたね。

■2本足の人間は、2本足のロボットを作っていい

——ここまでSFが研究に与えた影響をお聞きしてきましたが、梶田先生が個人的に好きなSFを教えていただけますか？

ロバート・L・フォワードは良いですね。彼の『ロシュワールド』に、「クリスマスブッシュ」というフラクタル構造〔編注：部分が全体に相似する構造〕のナノロボットが出てきます。木のように幹があって先端がどんどん細かく枝分かれしていって、全体が1つのロボットとして機能しているんです。必要に応じて枝の先端だけが外れて耳元に来ると、それがコミュニケーションツールになったりという、あれが印象に残っています。

『宇宙のランデヴー』というクラークの小説もすごく好きです。巨大な宇宙船のなかで、バイオットという3本足の、半分生き物で半分ロボットみたいなのが出てくるんです。これが3本足でスタスタスタッと走るという描写はとても印象に残っています。そもそも3本足で三脚みたいな格好をしたロボットがどうやって歩くのか、どう足を運んだらきれいに歩けるか、これはかなり考えましたね。でも、どうにもうまくいかない。クラークは適当にごまかして、くるくると回転するような足運びで走っているというふうに書いています。

登場人物がこのバイオットを見て、「ここの住民はやっぱり3本足の生き物なんだろう、3本足の生き物が自分に似せて3本足のロボットを作ったんだな」と言うんですよ。それはつまりクラークがヒューマノイドを肯定しているということだと、僕は前向きに受け取ったんです。3本足の宇宙人が3本足のロボットを作るんだったら、やっぱり2本足の人間は、2本足のロボットを作っていいのではないか、と。

ちなみに、アメリカの研究者がSTriDERという3本足ロボットを実際に作っています。これはすごく面白くて、胴体のところがくるっと裏返るような歩き方をするんです。それによって、一応はちゃんと3本足で連続した歩行ができる。これを見た時は「うわ、やられた」と思いました。『宇宙のランデヴー』に出てくるものとはだいぶ機構が違いますけれどもね。

——日本のSFで特に好きなものはありますか？

小松左京さんですね。小松左京さんが、「不気味の谷」を提唱した森政弘先生のところに来られたことがありました。映画の『さよならジュピター』にロボットを出したいので、知恵を借りたいと。僕がSF好きだということを森先生がよくご存じだったので、「梶田君、小松左京が来るよ」なんて言われて、ほいほいと色紙を抱えていってサインを頂きました。生の小松さんにお会いできることがもう、SF体験としてとても大きいものでしたね。

小松左京さんとは、世界SF大会を日本でやったとき、もう一度だけお会いしました。小松さんの前で僕がロボットを動かしまして。その時は小松さんはもう車いすで、あんまりお元気ではなかったのですが、ちゃんと見ていただきました。

他にも好きなSFを挙げるとすると、AIがらみでインパクトがあったのは、手塚治虫の『火の鳥　復活編』です。主人公が事故で脳を半分人工物にしてしまうのですが、最初は世界に対する認識が完全におかしくなってしまうんですね。後から考えてみると、これは知能の成り立ちを実によく掘り下げています。あの主人公は脳の手術のせいで、人間がロボットに見えて、ロボットが人間に見えてしまうような認識過程になりますが、V・S・ラマチャンドラン〔編注：神経科医。著書に『脳のなかの幽霊』など〕なんかを読むと、同じような症例が現実に存在するんです。

——最近のSFで、このロボットがすごい等、感心したものはありますか？

富永浩史先生の『鋼鉄の犬』という小説にはビッグドッグ〔編注：ボストン・ダイナミクス社が開発した四足歩行ロボット〕のようなロボットが出てきて、これが結構リアルな設定です。そのロボットが「坂道を上れ」と命令されると、坂道をレーザーセンサーでスキャンして、最適なルートを求めるために計算を次々とやり直していく。このあたりの描写はよく書けているなと感心しましたね。富永先生とはSF大会絡みの付き合いで仲良くしていただいていて、『超空自衛隊』のなかではHRP－4Cをモデルにしたロボットを出してくれています。

少女型ロボットがすごいパワーを発揮する長谷敏司先生の『BEATLESS』も、僕にとってはすごくSFでした。実現可能な範囲をぶっ飛ばそうと思うと、長谷先生みたいにシンギュラリティなAIを導入するか、野尻抱介先生のようにハイパーナノテクノロジーを使っちゃうしかない。

■人間とロボットのこれから

――今後、ロボットが社会に溶け込んでいくときに、人間とロボットの関係性はどうなるか、梶田先生の考えるシナリオを教えてください。

2020~2030年には、掃除ロボットのルンバに腕が生えた感じで、「例のあれ持ってきて」「ごみ出しておいて」などの指示に従う小型ホームロボットが10万円くらいで普及すると思います。ロバート・A・ハインラインの『夏への扉』に出てくる「文化女中器」に近いロボットです。そのためにはなんでもつかめるロボットハンドが必要ですが、まだ技術的に解決できていません。しかし、ロボットに服を畳ませるといった問題はいま世界中のトップレベルのロボット研究者がチャレンジしているところなので、今後4~5年のオーダーで解決していくものだと考えています。こうしたホームロボットが、その家庭の住人の癖やどんな人が家を訪ねてくるかなどを長期記憶しておくことができるようになり、家庭の一員になるのではないでしょうか〔注：どうという事はないと思われるでしょうが、ガチで難しい人工知能の研究テーマです！〕。

その次に、ボディーをさまざまな形にアップデートしようという段で、初めてヒューマノイドが選択肢として現れるのだと思います。これが2030〜2040年のシナリオです。さらに2040〜2050年には、60㎞／hを超える速度と自重の3倍のものを運ぶ能力を持つ超人的ヒューマノイドが各国で作られる……そんなシナリオを思い描いています。

――なるほど。では、いま現在、ロボットをフィクションで書いたら面白いだろうと思われる分野はありますか？

やっぱり、ホームロボットSFでしょうか。本当に日常生活で役に立つロボットがリーズナブルな価格で普及した社会がどうなるか、世の中をどのように変えてしまうかは、知っておかなければなりません。おそらくものすごい技術開発競争が起こるはずです。ホームロボットは毎年のようにバージョンアップするでしょうし、特許戦争やメーカーの産業スパイなどあれやこれやが同時多発的に起こると思っていて、そこは料理のしかた次第で面白い物語になるかもしれません。

——技術的困難性のオーダーやブレイクスルーが起きる順番を、専門家はわかっている。一方、それに従って、技術がここまで進んだ段階では社会がこう変わっていくんじゃないかという予想を立てたり、それによって起きるドタバタやドラマを考えたりすることには、作家さんの想像力が適しているかもしれません。ミンスキーがホーガンやクラークに、あるいは森政弘さんが小松左京さんに科学的知見を提供したように、両者がうまく掛け合わさると、リアリティがあってなおかつ面白いものができそうです。

はい、僕もそう思います。そういうものをぜひ見てみたいですね。

第3章

「自分とは何か」を考えるためにSFを読んできた

松原　仁

松原　仁（まつばら・ひとし）
京都橘大学工学部情報工学科教授。1959年生まれ。1986年、東京大学大学院工学系研究科情報工学専攻博士課程修了。同年、通商産業省工業技術院電子技術総合研究所（現産業技術総合研究所）入所。2000年より公立はこだて未来大学教授、2016年より同大学副理事長を兼任。2020年より東京大学次世代知能科学研究センター教授、2024年３月定年退職。2024年４月より現職。人工知能学会元会長。株式会社未来シェア代表取締役会長。

■アトム・フロイト・AIUEO

――まずは、松原先生のSFの原体験と、現在の研究分野に進まれるまでの経緯を教えてください。

やっぱり、幼稚園の時に『鉄腕アトム』を見た影響が大きいですね。特に天馬博士が好きで、父親に「天馬博士みたいになるにはどうすればいいんだ」と聞いたら、エンジニアになればいいと教えてくれたんです。小~中学生の頃まではずっと、エンジニアになりたいと言っていました。中学の時に大きな影響を受けたのがフロイト。それで「人間の心」に興味を持ち始めました。アトムを見てロボットやメカの方向に進む人もいますが、僕はいまで言うところのAI、すなわち心や知能といったテーマが好きなんだなと、フロイトを好きになって知ったのです。

当時は海外には「人工知能」という言葉はあったわけですが、日本にはほとんど入ってきていなくて。日本語で人工知能という言葉を知ったのは大学生になってからだと思います。フロイトは精神医学者だから医学部へ進むことも考えましたが、きっと本命はコンピューターだろうと思って、東大の理学部情報科学科に進むことになります。駒場キャンパスにあったコンピューターが使える自主ゼミに入って、「ＦＯＲＴＲＡＮ」という言語を勉強して。当時は1枚の紙に1行ずつパンチをしながらプログラムを書いていた時代でした。

趣味の話をすると、小学生の頃から将棋が好きでした。たぶん叔父から教わったのかな、将棋雑誌を毎月買って、結局大学院の頃にはアマチュア5段をとっています。社会人になってからの最初の給料で、親へのプレゼントと免状を買ったのを覚えていますね。将棋つながりで、海外ではコンピューターチェスの研究が行われていることは知っていた。そこで「日本は将棋だよな」と思って、大学1年の時に将棋のプログラムを書き始めた、というのが将棋ＡＩの研究に進んだきっかけです。

大学院ではＡＩの研究をやりたいと思っていたのですが、理学部にはＡＩの先生がいなかった。そこで人工知能を研究テーマのひとつに挙げていた工学部の井上博允（いのうえひろちか）先生の研究室に入ることになります。とはいえ、工学部にもＡＩの授業はないし、周りにＡＩをやっている人もいない。ありがたいことに井上先生は「ＡＩは自分で勉強したまえ」と好きにやらせてくれたので、研究室では画像認識の研究をしながら、課外活動として「ＡＩＵＥＯ」というＡＩの勉強会に入ることにしました。隔週の土曜日にどこかの研究室に集まって、当番制で論文を読む。当時は日本語で読めるＡＩの文献がなかったので、〈ＡＩジャーナル〉という雑誌に載っている海外の論文を読んだり、ＡＩ関連の本を読んだりしていました。そういう意味では、僕はAIについてはすべて「AIUEO」で学んだと思っています。

——1986年に大学院を卒業されてからは、電総研に入所されています。

電総研のいいところは、協調性があることよりも変わったやつを面白がってもらえたことでした。そこはAI研究者としては夢のような環境で、シンボリクスという1台3000万円するLISPマシンを個人で使うことができたんです。入所してから2年後に「推論研究室」と呼ばれるチームが新しく設立されることになり、そこに移ってからは将棋の研究を表に出し始めます。将棋の性質を情報処理的に分析すると「一局で指しうる手の数は10の220乗通りある」といわれますが、実はそれを最初に計算したのは僕なんです。1990年の論文で発表したものですが、いまだにいろいろなところで引用されています。

もうひとつ、電総研で立ち上げに関わったのが「ゲーム戦略ラボ」。研究室というのはそんなに簡単につくったり、つぶしたりできないのですが、それだと学問が進化するスピードに付いていくことができない。そこでいくつかの研究室からメンバーを集めたバーチャルな研究組織をつくることになりました。その最初の研究テーマとして選ばれたのがゲームだったのですが、「ゲームラボ」という名前だと国の機関としてOKが出なかったので、ゲームを用いて戦略のあり方を検討するという理屈を付けて「ゲーム戦略ラボ」と名付けられました。そのラボには海外の研究者やポスドクもいて、囲碁や将棋から、コントラクトブリッジにサッカーまでが研究対象でした。ゲーム戦略ラボができたおかげで、90年代後半にはゲームの研究を堂々とやることができたのです。

■フレーム問題と『ヴァーチャル・ガール』

これまでに出てこなかった話としては、「フレーム問題」があります。「研究者としての自分の業績は何か?」と考えたときに、ゲームの研究は世の中に広めこそしたけれど、影響力のある論文を書いたわけではないので科学的業績と言えるかはわからない。一方でフレーム問題について書いた論文は、認知科学領域では最もよく参照されていると思います。

AIにおける最大の難問とも呼ばれるフレーム問題は、元々は1969年にジョン・マッカーシーとパトリック・ヘイズという2人の科学者によって提唱されたものです。こうしたAIの論理問題はしばしばプログラムを書く人から見るとマニアックだと捉えられますが、これは決してマニアックな問題ではなく、動くシステムを作ろうとしたら誰もが直面する問題なんです。博士論文ではフレーム問題という言葉こそ使っていませんが、ロボットに積み木を組み立てさせるときに精度が悪くなってしまうのは、最初に起こりうるすべての状況を数え上げることが不可能だからだ、という内容で書いています。つまり、AIを作るうえで「初期条件をどこまで考えなければいけないか」を決めるのは大変な問題だということです。

——SF作品でフレーム問題を扱ったものだとどんなものがあるでしょうか？

代表作はエイミー・トムスンの『ヴァーチャル・ガール』でしょうか。この作品内でのフレーム問題の記述は、かなりちゃんとしているんですよね。『ヴァーチャル・ガール』は1993年の作品なので、時期的にはフレーム問題についてよく論文や本を書いていた米国の哲学者、ダニエル・デネットの影響もあると思います。

日本でははっきり言って、僕の書いたフレーム問題関連の論文は、AI系の人たちよりは認知科学や哲学といった文系界隈でウケました。あのときは〈現代思想〉でもフレーム問題について書きましたし、社会学者の大澤真幸さん、哲学者の黒崎政男さんとも鼎談をしましたね〔編注：1990年7月号〕。もう絶版になってしまいましたが、マッカーシー&ヘイズの論文と僕の論文を一緒に収めた『人工知能になぜ哲学が必要か——フレーム問題の発端と展開』という本を哲学書房という出版社から出してもいます。

■星新一賞の舞台裏

――はこだて未来大学に移られてから現在に至るまでの活動についても、簡単に教えてください。

未来大ができた時に声がかかって、２０００年から着任しています。未来大に来てから始めた領域としては、デジタルゲームの研究があります。僕のところに来る学生は将棋や囲碁に興味のある人もいますが、デジタルゲームに興味がある学生の方が圧倒的に多い。そこでデジタルゲームを研究範囲に入れたほうが面白いと思い、２０００年代にはデジタルゲーム学会も立ち上げています。

最近は世間のＡＩブームの影響もあり、やはり社会実装を求められることが多い。そこで函館の地域貢献につながるような活動も始めたいと思い、いくつかのベンチャー企業の社長もやっています。ひとつは交通。相乗りタクシーのルートをＡＩに計算させて、目的地の異なる人たちを効率よく乗り降りさせることができるサービスを行っています。もうひとつは漁業。魚群探知機の波形をディープラーニングで覚えさせることで、定置網のなかに入っている魚の種類を8〜9割の精度で特定できる技術を開発しています。漁師さんたちが30kg未満のマグロを獲るとペナルティーがかかってしまうので、それを未然に防ぐことを目的に始まった研究です。

――そしてSFに関して言えば、2012年の星新一賞の設立と、AIに小説を書かせる「きまぐれ人工知能プロジェクト　作家ですのよ」があります。

これが一番肝心でしょう。星新一賞を立ち上げたそもそものきっかけは、作家の瀬名秀明さんとの出会いがあります。瀬名さんがロボット研究についてインタビューをする仕事をしていたときに僕のところに取材に来て、ロボカップの立ち上げやAIの話で意気投合して。僕が『2001年宇宙の旅』のマニアックなバグの話をしたら、そのネタが彼の小説に出てきて謝辞に僕の名前が載ったこともあったりして、親しくなったんです。

その後、星新一さんの娘である星マリナさんと瀬名さんの2人で構想していた「星新一賞を作りたい」という話を聞かせていただき、僕もプロジェクトに加わらせていただくことになりました。その議論の最中に、「AIが書いた小説を応募したら面白いよね」という話になり、それが「作家ですのよ」の設立につながっています。

ちなみに星新一賞の設立を記者会見で発表したのは、2012年の「ホシヅルの日」(星新一さんの誕生日である9月6日)。「星新一といえば白衣だろう」と2人で白衣を買って、僕と瀬名さんがそれぞれ「エム教授」と「エス博士」というキャラクターになりきって会見をしたんです。記者会見の日には、瀬名さんと2人で星新一さんのお墓参りにも行きました。星先生の前で、「こういうプロジェクトを始めます」と誓ったわけです。

——「作家ですのよ」の活動も同じく2012年から行われていますが、現在の技術的にはAIにはどこまでできるのでしょうか?

ありがたいことに企業からのコラボレーションの提案はたくさんあるのですが、いまの研究のレベルでは「AIで面白い小説を書き続ける」ということを確約するのは難しい。そこで現在は、ある会社と「AIでシナリオを作る」ということをやろうとしています。シナリオレベルなら小説にも映画にも応用ができますし、そこにスポンサーをつけるかたちでビジネスにもなるかもしれない。そのシナリオからAIがいい小説を作れるのはだいぶ先かもしれませんが、少なくとも作家のサポートにはなりえます。つまりAIにシナリオを作らせて、人間のプロがブラッシュアップをかけるという手法を確立することはできるだろうと。

僕がいま60歳なので、70歳まで現役でいられると考えると、あと10年のうちにはこのプロジェクトにも一定のケリをつけたいと考えています。

■ロボットと心

――松原先生の研究内容についてお伺いしたところで、今度は触れられてきたSFの遍歴について、子ども時代からさかのぼって教えていただいてもいいでしょうか。

最初に入ったのはやはりアニメだったと思います。僕の世代なら誰もが見ていた『鉄腕アトム』や『鉄人28号』、『ウルトラマン』。あとは『宇宙少年ソラン』も好きでしたね。松原家で飼っていたリスに「チャッピー」という名前を付けたのはソランの影響です。

――松原先生のルーツになっている「心を持ったロボット」で印象に残ったものとして、アトムのほかにはどんな作品がありましたか？

ジャイアントロボは普段は心を持っているわけではないんだけど、最後に少年の意思に反して、敵と一緒に太陽に突っ込んでしまう。あれは心とも言えるものでしょう？　だから僕が『ジャイアントロボ』が好きだというのは、あのシーンが印象に残っているからかもしれません。

小学生になると、母親が本好きだったので寝る時によく小説を読んでくれていました。そこでジュール・ヴェルヌの『海底二万里』や『月世界旅行』、またSFではないけれど『ロビンソン・クルーソー』や『十五少年漂流記』を読みました。『ゴジラ』や『仮面ライダー』、『サイボーグ009』も、大ファンというわけではなかったけれど人並みには観ていたと思います。

自分で映画を観出したり、小説をまともに読み出したのは中学生からです。星新一はすごくハマって、いまでも実家にはほぼ全作品が揃っています。あとは、筒井康隆や小松左京。そういう意味では、アニメを別にするとやはり「御三家」の影響は大きいと思います。

当時映画で一番好きだったのは『2001年宇宙の旅』。池袋に名画座があって、よく学校をさぼって観に行っていたのを覚えています。「ワケがわからんけどすげえ」とか思って、上映が終わってからトイレに隠れて何回も観るということもやっていました（笑）。同じくキューブリックの『博士の異常な愛情』や『時計じかけのオレンジ』も10回ずつくらいは観たような気がします。

——海外のSFにハマるようになったのはいつくらいからでしょうか？

高校生からだと思います。『ソラリス』は小説を先に読んでからタルコフスキー版の映画を観ましたが、どちらも好きでしたね。アーサー・C・クラークの『幼年期の終り』やロバート・A・ハインラインの『月は無慈悲な夜の女王』といった、いわゆる名作と呼ばれるものも軒並み読んでいました。そうした古典から入り始めて、新作を読み始めるようになったのはジェイムズ・P・ホーガンの『未来の二つの顔』あたりからじゃないかな。それから星新一が翻訳しているフレドリック・ブラウンも早い頃から読み始めています。

——大学や大学院の研究室のメンバーともSFの話はされていましたか？

大学院ではSFについて結構話していたと思う。AIの話をするときに「おまえ、このSFを読んだか」「こんなのも読んでいなくて、AIを語るんじゃない」とか偉そうに言っていた気がします（笑）。そこでは『アンドロイドは電気羊の夢を見るか？』や『一九八四年』といった作品がよく話題に上がっていました。

アシモフのロボットシリーズは高校生のときに読んでいましたが、大学院はロボットの研究室だったので、ロボット三原則やフレーム問題の話はアシモフに絡めて議論をしていました。「ロボット三原則は実行可能なのか?」「これはフレーム問題的にどうなの?」「ロボットにはフレーム問題が解決できていないというけれど、そもそも人間には解決できているのか?」と。

――ロボット研究の黎明期からロボット三原則が意識されていたというのは、SF的にはいい話ですね。

あと、大学時代に影響を受けた本に『マインンズ・アイ――コンピュータ時代の「心」と「私」』(ダグラス・ホフスタッター&ダニエル・デネット編)があります。この本が面白いのは、フィクションと学術論文が混じっているところ。上下巻で27章分のテキストがあるのですが、そこにはスタニスワフ・レムの短篇からチューリング・テストの論文、リチャード・ドーキンスのミームの話、トマス・ネーゲルの「コウモリであるとはどのようなことか」という有名な論文、さらに『アナーキー・国家・ユートピア』のロバート・ノージックが書いたフィクションまでが入っています。人間の脳のソフトウェアを他人にコピーしたらどうなるか、みたいな話を80年代にすでにしているかと思えば、宣伝には「SF傑作集として読んでも第一級の面白さです」とも書いてあって、SFがテーマの作品でもあるんです。『マインズ・アイ』はこういうテーマに興味のある学生には必ず読ませたいと思うものの、絶版になってしまって入手できないのが残念です。現在のAIブームを受けて、復刊してほしいですね。

■「自分とは何か」を考え続けてきた

——SFのなかでも特に自身の進路選択に影響を与えた、あるいは研究の着想になったかもしれないという作品はどれでしょうか？

やはり『ソラリス』に代表されるレムの作品が好きですね。具体的にレムにどういう影響を受けたかといえば、知能というのを人間ありきで考えてはいけないということ。いまとなっては当たり前に思える話かもしれませんが、世の中には人間とはまったく違うタイプの知能があるかもしれないと。そうした考え方は、レムから来ていると思います。

どうしてもロボットをつくるときは「人間のようなことができればいい」と考えがちです

が、知能全般を考えるときには、その前提を取っ払って考えなければいけない。レムが書いているように、部分的に取り出してもまったく機能しないけれど全体として見ると機能している、といったタイプの知能だってありえるわけです。
知能の定義は人によって違うのでひとつの正解はありませんが、僕は「生き延びる力」だと考えています。ある環境のなかで死ぬことなく、生き延びるための力こそが知能であると。この考え方は、レムを含め、これまで触れてきたSF作品から影響を受けていると思います。

——それは小松左京的でもありますよね。

たしかに、この考え方は小松さんらしいですね。認知が外界とつながることで個体のあり様を決定していくというのは。あとは「私とは何か?」「私はどこにいるのか?」という実存について考えるのが好きなのも、小松さんからの影響があると思います。そう考えると、子どもの頃から鉄腕アトムに憧れてきたとは言っても、個人的にはずっと人間に対して好奇心があった。僕自身はやっぱり、「自分とは何か」「意識とは何か」というところにずっと興味をもってきたんだと思います。
その理由は、「自分が変わっている」という意識がどこかにあったからかもしれません。

「どうも自分は周りの人と違うみたいである」と最初に思ったのは幼稚園の頃で、一応の社会性こそ身に着けてはきましたが、それでも「みんなとは違う」ということを常に思いながら生きてきましたし、それがＡＩ研究を行うモチベーションにもなっているのかもしれない。もちろんＳＦを読めばそこに答えが書いてあるというわけではありませんが、「自分とは何か」を考えるためのきっかけとしてＳＦを求めてきたのだと思います。

——2015年の『WIRED』日本版のAI特集で、「AI研究者必読の8冊」を選ばれています。『ソラリス』や『月は無慈悲な夜の女王』、長谷敏司さんの『あなたのための物語』を挙げるなかで、「日本人にとっては［グレッグ・］イーガンより長谷の世界観の方が受け入れやすいと思う。AIの研究も欧米はイーガン的であり、日本は長谷的である」と書かれていたのが興味深かったのですが、松原先生が考える欧米と日本のAI観の違いについて、あらためて教えていただいてもいいでしょうか。

よく言われる話かもしれませんが、日本ではＡＩを人間と別個のものと捉えるのではなく、連続線上にあるものと捉えています。草木にも魂が宿るというアニミズムの思想があるからこそ、日本ではロボットやＡＩが比較的受け入れられやすい。ドラえもんやアトムが流行る背景には、そうした東洋的価値観があるのです。それに対して、欧米にはキリスト教の価値観があります。人間とそれ以外の存在を分ける二元論が根付いているので、ロボットやＡＩは、人間とは違うもの、あるいは人間と敵対するものとして描かれることが多い。もちろん作家によっても立場や思想は異なるので「日本 vs. 欧米」と大雑把にくくることはできないかもしれませんが、少なくともイーガンと長谷さんの作品にはそうした傾向が見られると思います。

最近の倫理のトピックで、戦争で人を撃つか撃たないかの最終判断は機械ではなく人間が行うべきだという話があるじゃないですか。目標を見つけるところまではＡＩがやるんだけど、撃つべきかどうかの判断は人間が決めると。でもこの先、義手や義足の技術が進んで、脳の一部も機械に置き換わるような時代が近い将来に実現したとき、「どこまでが人間か？」という問いが必ず出てくるわけです。そう考えると、人間と機械を二元論として捉えていると、おそらくどこかでほころびが出てきてしまう。人間と機械、人間とＡＩは連続線上に存在するものとして考えたほうが自然なのだと思っています。

■フィクションの想像力、研究者の想像力

——近年の好きな作家・作品にはどのようなものがありますか？

国内作家では、『ｋｎｏｗ』の野﨑まどさんや『ゲームの王国』の小川哲さん、漫画では『機械仕掛けの愛』の業田良家さんや『ＡＩの遺電子』の山田胡瓜さんも好きです。テッド・チャンも好きだし、劉慈欣の『三体』も読みました。

最近のＡＩ映画で一番好きなのは『ｈｅｒ／世界でひとつの彼女』ですね。ひとつＡＩ研究者として不満に思っているのは、最後に「サマンサが６４１人と同時に付き合っている」と聞いて主人公が失恋する場面がありますが、人間と違ってＡＩには物理的資源の制約がないので、大勢と付き合っていようが愛情が６４１分の１になるわけではないということ。他にサマンサの資源を取られているわけじゃないんだから、浮気とか言わなくてもいいじゃんと。

とはいえ、この10年くらいで小説に限らずさまざまなメディア、表現手法においてＡＩやロボットが取り入れられているのは、いいことだと思いますね。

——逆に研究者として、もっとこういうＡＩの描かれ方がされるべきじゃないか、あるいはこの観点が足りていないんじゃないかということがあれば教えてください。

むしろ僕自身が感じているのは、ＳＦに対してでなくＡＩ研究に対してだいぶ、危機感を持っていて。これはよくＡＩ研究者たちに言う話なんですが、ＡＩ研究がフィクションに追いつかれている、われわれの発想力が小説の世界に負けているぞと。いや、長い歴史から見て、研究者はずっとフィクションの想像力に負けているという見方もあるかもしれませんが、とはいえＡＩ研究の黎明期においては研究者の方がぶっ飛んだ考えを持っていて、それが社会に影響を与えてきた、ひいては小説家を含めたクリエイターにも影響を与えてきたと思うんです。

でもいまは、社会の想像力のほうが先へ行ってしまっていて、ＡＩ研究がいまできることを話しても「そんなことはもうとっくにできていると思っていました」と言われることが多くなってしまっている。だから、「いまこそ俺たち研究者がもっと面白いことを考えないといけないぞ」と思っています。とはいえ、先に行き過ぎてシンギュラリティの話をし始めると〝何でもあり〟の思考停止状態になってしまうので、なかなか難しいところなのですが。

――では、ＳＦのジャンルでもっとこうした種類の作品があればと思うものはありますか？

僕が興味があるのは知能のあり方なので、人間とは違う形の知能を見せてくれると、ＡＩ研究者にとってはインスピレーションになりますよね。なのでＳＦに期待したいのは、「おお、これは思いつかなかった」というような知能像を見せてほしいということです。

僕が『ソラリス』が好きなのは、子どもの時には思ってもみなかった知能像を見せてくれたからだと思うんです。円城塔さんの小説も好きですが、彼の作品にも人類が滅びてＡＩだけが暮らしている世界が出てきたりするじゃないですか。でもそうしたオルタナティブな知能像も、もちろんひとつじゃない。いろんな発想でいろんな知能像が生まれると、ＡＩ研究にとっても、この先の10年、20年のインスピレーションになってくれるんじゃないかと思っています。

■ＡＩリテラシーが求められる時代

――松原先生は大学院時代の画像認識の研究から、これまでに将棋ＡＩ、ロボカップ、デジタルゲーム研究を手がけ、現在はＡＩで小説を書かせるプロジェクトまで行われています。ＡＩの研究を始めた当初から、これらの領域をやることになるというのは考えていたのでしょうか？

いや、自然言語処理はやらないようにしようと思っていたんです。言葉は人間と動物を区別する重要な機能ですし、AI研究においてもメジャーなのですが、僕は天の邪鬼なので人が手を付けていないテーマをやりたいと思ってこれまでやってきました。ゲームの研究を始めたのも、日本人の研究者でゲームをやる人がほとんどいなかったからなんです。しかし先ほどお話ししたようなご縁で「星新一さんの小説をAIで作る」というプロジェクトを始めることになったので、それはとても感慨深い。僕もとうとう自然言語処理に足を突っ込むんだなと、自分自身を振り返って思うところがあります。

AI研究の世界には「AI補完論」と呼ばれるものがあって、AI研究者は自分が苦手な能力をAIにやらせようとすると言われています。これは本人がそうでないといっても、無意識での判断によるものなので否定できないんですね。たとえば僕はすごく目が悪いから、画像認識の研究をやったのも必然といえるわけです。同じように自然言語処理をやる研究者は言葉が下手な人が多いと言われていますが、僕も典型的な理系タイプで国語はずっと苦手だったので、これもある意味では必然なのかもしれません。

——松原先生は雑誌などでもよく文章を書かれているので、国語が苦手というのは意外です。

ＡＩ研究者のなかでは文章が書ける方だといわれることはあります。とはいえ僕はマービン・ミンスキーのファンなので、堅い論文調の文章ではなく、ミンスキーのようにエッセイ調で自由に書くほうが好きなんですね。

昨年『ＡＩに心は宿るのか』という本を出したんですが、今年、そのなかの文章がいくつかの中学や高校で入試問題に使われることになりました。いまはＡＩブームだから、ＡＩを題材にした問題を作りたかったんですね。「ＡＩの存在を身近に感じた体験を踏まえて、人間はこれからＡＩとどのように関わっていくべきだとあなたは考えますか？」といった、僕ですら答えがわからない問いを小学校6年生に出すのは酷だと思いつつも、ここでは読解力だけでなく、どれだけＡＩについての前提知識をもっているかを見ているんです。

現在、これだけＡＩが世の中に浸透しているなかで、ＡＩが問題のテーマになること自体はいいことだと思いますね。

コラム① AIのジェンダー化

西條玲奈

SF作品に登場する人工の生命体や知的存在者たちは、しばしばジェンダーを持つものとして描かれてきた。ヴィリエ・ド・リラダンの『未来のイヴ』(1886)に登場する人造人間ハダリーのように現実社会のジェンダー観をそのまま反映あるいは誇張したに過ぎないものもあれば、批判的にとらえなおす視座を提供するものもあった。メアリ・ブラッドリー・レーンのユートピア小説『ミゾラ』(1881)のように、女性に参政権のなかった時代に、女性だけで国を統治し生殖する世界を提示した例もある。ジェンダー理解とSF作品における技術の描写の関係は、現代の人工知能(AI)とジェンダー問題の関係と類比的なところがある。創作物もテクノロジーも、人が一定の目標を定めてそれを満たすように作り上げた人工物の一種であり、作り手のジェンダー観が作り上げたものに反映されることがある。ここでは社会に流通するAI製品のジェンダー化で問われた問題と、その問題を解消すべく社会で暗黙に共有されるジェンダー観を批判的に検討したうえで開発されクターたちのバリエーションと共通するところが見られるかもしれない。

1 AIと現代社会のジェンダー問題

いまやAI技術をジェンダー平等の価値観と両立させることは社会的な目標の一つといってよい。例えば、AI技術を用いた顔認証システムの精度が肌色の濃いアフリカ系の女性の場合、白人男性に比べて不正確になる事例は2010年頃からたびたび問題視されている。この問題が起きた要因の一つは学習データが開発者に多い白人男性の顔の画像に偏っていたこととされている。さらに、一部の国や地域では防犯目的に公共空間の監視カメラに顔認証システムが採用されているが、その精度に不公正さがあれば犯罪の容疑者や前科者と誤認されてしまう問題も起こりうる。また2022年以降は急速に進展する画像生成AIや大規模言語モデルによる対話型AIの出力がステレオタイプを誇張していることも議論の的になっている。女性には「笑顔」や「ケアワーカー」といった表現と結びついた出力が増える、「トランスジェンダー」という語をプロンプトに入力すると生成される画像が人間離れした上に性的に誇張されたものになりやすい、といった調査結果が出た。これらは特に膨大な量の画像や文字データが生成され広まることを考えると、リスクの把握とその防止が必要という判断は理に適うものだ。このように、AI技術によって生じる不利益が特定のジェンダーや人種の人たちに集中してしまうことがある。

加えて、性差別の問題との関連では、AIという人工物じたいに組み込まれたジェンダー特性が取り上げられることがある。2010年代後半にはスマートスピーカーやスマートフォンのアシスタントシステムの合成音声がデフォルトで女性的音声に設定されることが批判の対象になった。2019年のUNESCOの報告書では女性に対するステレオタイプを助長するリスクがあるといわれている。実際のところ、こうしたスマートスピーカー等の利用が、人の女性に対する定型的な連想を引き起こすという因果関係が報告されていない点には留意が必要だ。しかし同時に、女性蔑視の発言を丁寧に受け流す応答や、主体的に何かを行うというより所有者をサポートする機能が、女性を連想する音声と結びついて「女性は従属的な存在だ」という事例を作り出していることには違いない。たとえ意図的でないにしても、特定のジェンダーに対する暗黙のメッセージを日常的に使用するデバイスに組み込む設計態度を批判することは、それほど的外れではないだろう。

2　ＡＩのジェンダーを支える社会のジェンダー規範

そもそも素朴に考えると、「ＡＩにジェンダーがある」とは額面通りには受け入れがたい表現だ。ＡＩは生物ではないし有性生殖もおこなわないので、卵子や精子、外性器、性ホルモン、性染色体などの生物学上の機能や特性をもつわけではない。また、少なくとも現在のＡＩにかぎっていえば、人間と同じような意味で自己の意識を備えていないので、当人のアイデンティティを尊重することも意味をなさない。対話システムが「私は男性です」と言い出したとしても、その発言をアイデンティティの表明とみなすのは端的に間違いである。

そのため、もし合成音声のような人工物を「男性的」「女性的」「性別があいまい」と判断することが理解できるとしたら、何かの別の意味があるはずだ。こうした意味は、社会が慣習的に共有するジェンダーについての前提から導かれるものと解釈できる。たとえば今の日本社会では、誰かが女性であれば、そのひとは乳房をもつ、骨盤が広い、長髪である、声が高い、夜道をひとりでは歩かないほうがよい等のはずだ、といったさまざまな規範的特徴が帰属される。「女性（男性）ならしかじかのはずだ」というコミュニティ相対的な慣習はジェンダー規範、または女らしさや男らしさとでも呼べるだろう。こうした規範を前提に、逆向きの推論、すなわち「しかじかの特徴をもつならばその人は女性のはずだ」という仮説に基づいた推測を人は暗然のうちにおこなっている。ジェンダー分けされた公共トイレのうち、女性向けの空間を表すのにスカートの描かれたピクトグラムが採用されているのは、スカートという特徴が女性のみを表す社会規範を利用したものだ。20世紀前半の米国では青色が女児向け製品のシンボルカラーだったものが半世紀ほどでピンクに変化したように、ジェンダー規範は時代やコミュニティによって変化するものであり、同じ性質でもそれが意味するジェンダーが変わることもある。スマートスピーカーの音声をわれわれが「女性的」や「男性的」だとして推測するのは、女性の声はしかじかなもののはずだという、言語を話す音声の高低、テンポ、抑揚などについてのジェンダー規範を前提にしている。

3 ジェンダーを「排除」すればよいのか?

ジェンダーに対するステレオタイプをAI技術が反復しない手段として、ユーザーインタフェースからジェンダーの記号となる要素を避ける設計が採用されることも少なくない。あからさまに人間を連想するアバターなどを作らなくても、丸みを帯びたパステルカラーの製品は女性向け、直線的でダークカラーの製品は男性向けといったように色やかたちなど基本的な特徴だけでジェンダー化は起きるものだ。こうした点をふまえて、ロボット掃除機に代表されるような現在のスマート家電などは、一般に外観じたいが特定のジェンダーと紐づかないように設計されることも少なくない。

だが、こうしたデザインはけっして文字通りの意味で「無性別化」されているわけではない。家庭用のロボット掃除機にアニメ『宇宙家族ジェットソン』に登場するメイドロボットの名前「ロジー」が人気のある名前のひとつであることが、ルンバシリーズを開発しているｉＲｏｂｏｔ社のウェブサイトで紹介されている。ロジーは機械の身体にレースの縁取りをしたエプロンとヘッドドレスをまとった女性性を表す記号を備えたキャラクターだ。名付けは典型的なユーザーによるジェンダー化のふるまいである。そもそも家事労働の省力化をはかる家電製品はその機能じたいが、女性の仕事とみなされてきた特徴を備える点で女性化を被りやすい。他にも、スマートスピーカーやスマートフォンの音声の選択肢として、「ジェンダーレス」な音声が設計されたものの、実際にはたんに女性的と受け取る人と男性的と受け取る人の割合が同程度に過ぎず、性別を取り除いているとは言い難いケースもある。

そうした意味で、もし「性差別を是認しない」という原則を守るならば、設計において特定の性別を表す特徴を避けることだけが解決策ではない。合成音声の場合、今では男性的な音声はもちろんＬＧＢＴＱ＋コミュニティの人々の音声をもとに設計したクィアな音声などバリエーションが加わりつつある。これはジェンダー表現に関してユーザーの選択肢を増やすという点で望ましい解決の一つだろう。また、ユーザーが女性差別的な発言をするとそれに抵抗する応答を行うフェミニスト・アレクサというプログラムは、女性的な音声で行うからこそより意義のある表現だといえる。こうした事例から、女性的なデザインが批判されたからそのジェンダーを連想させるものをたんに避ければよいわけではないことがわかる。ＡＩ技術がジェンダー平等と両立可能であるために、長期的にはＡＩの研究開発業に従事する人材の多様化がしばしば求められる。これは社会で不利な状況におかれやすい立場のひとほど差別の実態に鋭敏にならざるを得ないことも影響しているだろう。ＳＴＥＭ分野におけるＬＧＢＴＱ＋支援ＮＰＯ団体ｏＳＴＥＭに属するＱｅｅｒ．ｉｎ　ＡＩでは研究開発者向けのガイドラインや行動指針が公表されている。これもまた、ただ人材を集約するだけではなく、差別・ハラスメント防止対策を含む環境の整備が必要であることを示しているだろう。

第4章

「人間」の謎解きを楽しむ

原田悦子

原田悦子（はらだ・えつこ）
筑波大学人間系（心理学域）教授。1986年、筑波大学大学院博士課程心理学研究科修了。教育学博士。日本IBM（株）東京基礎研究所、法政大学社会学部講師、助教授、教授を経て現職。JST-RISTEX 高齢社会・プロジェクトリーダー（2011-2014）兼任。専門は認知心理学、認知工学、認知科学。

■潜在記憶と『ブレードランナー』

――研究者としてのキャリアと、そのなかで親しまれたＳＦ作品があれば教えてください。

まず博士課程では、意識的に思い出そうとしていなくても行動に大きな影響を与える「潜在記憶」について研究していました。それまでの心理学の記憶研究の主流は「さっき見たものを思い出してください」と教示をするものだったのですが、それって人工的であんまりリアルじゃないなと感じていました。人の知識やスキルも大事な記憶でして、そうした「人間が生きていくうえで役に立つ記憶」がどうやって獲得されるのか、翻って「そもそも記憶は何の役に立っているのか」というところに興味があったんです。

博士論文で取り組んだのが、上下左右逆転させたテキストを実験参加者に見せて、読む速度を測定する実験です。一度でも読んだことのあるテキストは読む速度が上がるのですが、たとえば1年後に、そのテキストを読んだことを全くおぼえていない状態でも、再度読む時のパフォーマンスは上がったままという、非常に頑健な現象が潜在記憶でして、そのメカニズムに関する実験をしていました。

そんななかで、当時観た『ブレードランナー』にはのめりこみましたね。特にアンドロイドを見分けるテストとして、感情語に対する反応を、しかも瞳孔径で測るというのは、そそられるところがありました。心理学の授業でも出てくる現象ですが、潜在記憶と同じく、非意識的な反応ですから。その現象から「アンドロイドをどう捉えるか」という展開がとても興味深かった。今も学生さんによく勧めています。

ちなみにお気に入りのＤＶＤは、コマ止めしながら何度も観ます。結婚相手も趣味が合う人で、彼は特別版とかディレクターズカットとか数種類、言語も5～6種類、いろんな国のを買ってくるんですよ。リージョンコードの問題があるので、プレイヤーとテレビは香港で買ってきていて。『ブレードランナー』も英語の字幕で確認しながら、各国語の吹き替え版を観たりしていました。ちょっとした言葉のニュアンスが違ったりして、吹き替え版の面白さもあるなと思って観ていたんです。

――博士号取得後はどのような研究に進まれましたか？

博士課程修了後は日本ＩＢＭの基礎研究所に研究員として3年間勤め、「どうすればコンピューターが人に優しくなれるのか」という観点でインターフェースの研究に携わりました。当時、ワードプロセッサーを使ったことのない人に1週間通ってもらって使い方を身につけていく過程を観察したりしたのですが、これがとっても面白くて。ある意味、子どもの頃に好きだったアリの巣観察と一緒かもしれませんが、モノを使っていく間にいろいろな側面で人の行動が日々変わっていくことに、本当に感動したんです。そこをさらに研究として突きつめてみたいなと思い、その後は大学に戻ってからも、記憶の基礎研究と使いやすさ研究の2本柱で研究を続けてきました。

特に10年くらい前からは、高齢者に着目して使いやすさ研究を行っています。高齢になると、「このボタンを押せばいいだけなのに、それが押せるようにならない」といった問題がいろいろな場面で出てきます。そこで、高齢者と大学生が同じモノを使うときのプロセスを比較することによって、加齢によって何が変わるのか、あるいは何が変わらないのかを観ています。

実際に調べてみると、高齢者にとって使いにくいモノは、大学生が一見スムーズに使っているように見えていても、実は同じようなエラーが発生しているのですね。それはモノのデザインの悪さを見事に映し出していて、両方の群が同じことを同じように間違える。でも間違えた後、大学生のほうはそのエラーからすっと学習できる。高齢者さんはその学習がうまくいかなくて、ずっと正直にデザインの悪さに反応してしまう。そこから、もともと私たち成人一般ができて当たり前に思え、それ故に見えていない認知的な機能にはどういうものがあるのかを研究しています。

■『チキ・チキ・バン・バン』〈暮しの手帖〉から研究者へ

――認知心理学や認知工学に対するご興味のなかで、フィクションから影響を受けた部分はありますか？

『チキ・チキ・バン・バン』はモノづくりにわくわくする気持ちに影響を与えているかもしれません。小さい頃、おそらく人生で初めて観た映画で、科学や技術を用いて人間の手でいろいろなものを作れるということが、楽天的に描かれているのが好きで、とても楽しかったのを覚えています。

大人になってから観た「ウォレスとグルミット」シリーズも同じ理由で好きです。特に『チーズ・ホリデー』ですね。発明家のウォレスが、おうちの中を好きなように造り変えているのですが、メカニカルに動く仕組みが楽しいなと思って観ていました。

パッションを持って、何かを創ろうとしている人が好きなんです。それはエンジニアだけじゃなくて、書く人でも踊る人でも何でも、どこか突きつめちゃっていて、普通の生活上はちょっと変な人が好きみたいです（笑）。

それから、フィクションではありませんが、子どもの頃から祖母の家に遊びに行くと、雑誌の〈暮しの手帖〉をなめるように読んでいました。これは進路選択に無意識のうちに影響したのかもと思っています。

実際に暮らすなかで使うようにして商品の性能を試す「商品テスト」という連載があって、それが好きでした。たとえばトースターをテストするときには、本当に愚直にパンを焼いてトーストを作り、「何百枚かずつ焼いたときに焼きむらがこのくらいありました」というような写真が載せられているんです。祖母の家には〈暮しの手帖〉の既刊が全巻あったので、何度も同じテストの誌面を読んでいました。

実はこのことはずっと忘れていたのですが、使いやすさ研究を始めてから、とあるシンポジウムで〈暮しの手帖〉の編集者の方とお会いしたときにふと思い出したんです。「そうか、私は子どもの頃にこれを読んでいたから、テスト、テストと言うようになったのか」と気づいて、自分ですごく感動しました。

■『モモ』に憧れた子供時代

——ほかに小さい頃に読まれていた作品にはどのようなものがありますか？

「赤毛のアン」のシリーズは幼少期から繰り返し読んでいました。アンのような子になりたいという同一視に近かったです。『大草原の小さな家』『メアリー・ポピンズ』『床下の小人たち』『くまのパディントン』『みどりのゆび』『はてしない物語』なども好きでした。

なかでも大切にしている作品は、ミヒャエル・エンデの『モモ』です。記憶では、小学校の図書館で借りて、その後、家族に買ってもらいました。小学校5、6年の女子としては、モモみたいな子になりたいな、って。ほとんど口をきかないのに周りの子が寄ってきて、みんなの心の支えになる、みたいな。私は末っ子で、「ああ、いたんだね」という扱い（山口弁では「おまめ」といいますが）をされているのが好きで……モモもちょうどそういう感じで、でもカッコイイのが好きだったのでしょうね。

『モモ』のなかでは、時間を消費財として扱うことへの危機感や、消費財でない時間と人間とは何だろうという疑問が扱われていますよね。「時間」という問題は、自分の研究課題としては真っ正面から取り組んだことはないのですが、基盤として大事だと思っているんです。

自分ではまだ切り出せない問題意識が、『モモ』にはぎゅっと詰まっている気がします。切り出せるものって、「こうで、こうだから、こうでしょう」「そうだよね、認知心理学だとこう思うよね」と解説して終わりになっちゃうんですけれども、そうではなく、ものすごい力で惹きつけるお話の力があるのが『モモ』かなという感じですね。

■『アシガール』に学ぶ、時代を超えた価値観の交流

——いわゆるSFに親しむようになったのは、もう少しあとになってからでしょうか。

しっかり読み始めたのは、大学生になって自分で自由に文庫本を買えるようになってからですね。先輩に影響されてハインラインやJ・P・ホーガンを読んだり、『惑星ソラリス』『2001年宇宙の旅』『ターミネーター』などの映画を観ていました。特にホーガンは最初の『星を継ぐもの』がすごく面白くて、後は追いかけるように読みましたね。身の回りのことの記述を、生きている人の視点からきっちり書いている感じがして、想像しやすかったんです。そうやってSFを通じて、人が認識できる限界や、時間という概念の不可思議さ・不条理さを考えるようになりました。

時間ものは今でも好きで、最近の漫画では『アシガール』が好きです〔編注：2023年2月より続篇『たまのこしいれ』が連載中〕。戦国時代の人たちがどういうふうに世界を見ていたの

かって、それまであまりリアルに想像したことがなかったのですが、『アシガール』を読んでから全然違う捉え方ができるようになりました。戦国時代に生きる若様が「平和というものが、戦争がない生活というものが、あり得るんだ」と気づくところに、「そうか」となったんです。

ちなみに今回の取材のお話を受けて、私は結構「時間」というテーマにこだわっているんだなと改めて思いました。『モモ』『アシガール』はもちろんですが、他にも小さい頃はテレビドラマの『タイム・トラベラー』が好きでした。人が新しい領域に踏み込むとき、その背景に、もっと先の時代からの「ヒント」がある、という枠組みは「謎解き」としての面白さがあります。けれども同時に、結局は最初から最後まで「誰かが創っている」世界から抜け出せないところにどこか閉塞感や疑問を感じる部分もあり、技術の進歩って何だろう、とも考えさせられます。その点、『アシガール』には「技術」ではなく「価値観」の交流があるところがすごいと思っています。

――そういった新刊の情報はどこで仕入れていますか?

2日に1回くらいは、駅構内の本屋さんのコミックや文庫新刊のコーナーを通って帰ります〔注：この本屋さんはコロナ禍で閉店しました。残念です〕。駅構内の本屋さんって、ほんの2分でリフレッシュして帰れるので、素敵だと思っていて。今日は何が新しく入ったかなとか、新しい本が入ってきたときに前の本をどういう扱いにするのかなとか、これを今推したいんだなとか、並べ方をチェックして帰るということをやっていて。そこの店員さんの一人とはこっそり仲良しです。

以前その店員さんと一緒に棚を見ていた時にお薦めを聞いたら、『死役所』を薦めてくれたんです。「一見グロテスクな感じがするかもしれないけれども、これは面白いですよ」って。まだ一巻目が出たばかりの頃でしたが、読んでみたらすごく面白かった。店員さんも毎日のように私の顔を見ているからこそ、私が大体どんな好みの人か分かっているんだと思います。

——お薦め本を教えてくださる書店は貴重ですね。

はい。なので、必ず「ありがとうございました」って挨拶して、帰ります。

■共通言語・知の基盤としてのSF

――フィクションを議論のネタとして使われたりもしますか？

むかし日本認知科学会のサマースクールで、『スター・トレック』の上映会が始まったことがありましたね。私は当時対話システムの研究として「人間は基本的にテレビ電話が嫌い、遠隔対話システムにモニターは不要（受話器は重要）」という研究をやっていたのですが、『サンダーバード』の額縁通信システムを例に持ち出して発表したときに、「それは『スター・トレック』だ」と言われて、次の合宿で上映会をすることになったんです。4時間くらい、みんなでわいわい言いながら『スター・トレック』を観て、いろんな人がいろんな解説をするという会で……「じゃあ『スター・ウォーズ』に出てくるホログラム型は（遠隔対話システムとして）どうよ」みたいな議論をされたり、うるさいくらいギャーギャー言ってくるのをギャーギャー言いながら見ていて、面白かったです。

――SFがある種の共通言語になっているんですね。

はい、研究者間でもそうですし、学生とコミュニケーションするうえでも。特に英語で授業をしなくちゃいけないとき、全身全霊で伝えたいことが、自分で説明に使える語彙がどうしても狭くなるので歯がゆいというか、伝わりにくい感じがあるのですが、そういうときに学生が同じ映画を観ていてくれたりすると、「あの場面のこれ」と伝えやすくなります。

――ほかに、ご自身の研究に役立ったフィクションはありますか？

『コーマ―昏睡―』や『アウトブレイク―感染―』など、ロビン・クックの医療ミステリはすごく勉強になりました。私は医療事故防止の研究にも関わっています。というのが、現実の医療の現場にはもう、「エラーをしてください」と言わんばかりの環境、デザインの悪さがあって、その環境をよくしない限り事故は減らないんです。ロビン・クックは、医療という活動の全体像を学習する基盤になりました。「自分がやっている研究分野とは違うところの人たちが、ある種の構造や概念をどう捉えているのか」というのをずっと理解するには、SFはすごく大きい存在かなと思います。

その意味ではマイクル・クライトンも、「そういう技術があるんだ」「そういう見方があるんだ」と見識を広げていく感じがあって、情報収集的に楽しみながら読んでいました。ナノマシンが捕食動物のように人を襲う『プレイ―獲物―』は、分散知能・集合知能の論文を読むときに役に立ちました。グレッグ・ベアの『ブラッド・ミュージック』も分散知能を描いた話で、勉強になりました。

——先ほどお話しいただいたご研究のことだけ聞くと、どちらかというと個体としての人間の認識とか認知、知性にフォーカスされている印象があったのですが、一方では集団とか社会としての知性にもご興味があるということでしょうか。

心理学が扱うのはやはり個体レベルなのですが、その個体に対して、それ以外のレベルがどういう影響を与えているのかというところにはすごく興味がありますね。『プレイ—獲物—』にはこんなセリフが出てきます。「この分子ヘリコプターは、空気の粘性を利用して空気中を這い進むんだよ」「ナノマシンのレベルでは、空気はねっとりしてるんだ、わすれたかい？　この次元ではまったく新しい世界が開けてるんだ」。要するに、ナノマシンは人間とは全然違うレイヤー（重力ではなく空気の粘性）に強く影響され、しかもそれを人工的に作れるようになってきている。この点はすごく面白いし、ある意味怖いなと思うところもあって、興味を持っています。

■人工物の「怖さ」

――その「怖い」というのはもう少し説明可能でしょうか。

いま挙げたフィクションとは違うレベルの話にはなるのですが、現在、ユーザーにとってコントローラブルでない人工物がどんどん増えてきています。少なくとも普通に暮らしている人は、クラウドの中がどうなっていて、どういう影響があったときにどういうことが起こり得るかなんて分かりはしなくなっていますよね。なおかつ、その人工物なしでは生活できない状況になっていて、その決められた範囲内で暮らしていくしかない。

人がつくったものが、人の自由を奪っているわけです。そのいろんなレベルのなかに「わからないからもういいや」となってしまう人たちがいる。「できないんだったらやらないで」と言われてしまう人たちがいる。ヒューマン・アーティファクト・インタラクション(人―人工物間相互作用)という考え方からすると、私はそれでいいのかなと疑問を感じます。社会としてそれでいいのか、という意味での「怖い」ですね。

今の情報技術に対して「本当に私のプライバシーは安全なのか」と疑い始めたら、ネットワークをすべて遮断して閉じこもるしかなくなります。そんななかでも生きていかなければいけない怖さを感じていて、ナノマシンもそういうもののなかのひとつの表れとして捉えています。

——警句として受け取っていらっしゃる、と。

そうですね。特に高齢者にとっての使いやすさ研究をやっていると、技術と人間の関係性がここまで進んでしまうと怖いな、と思う部分がたくさんあります。

高齢になってから住環境が変わり、ＩＨやインターフォン、お風呂リモコンをある日突然、「使わなくてはいけない生活」になるケースが増えているんです。私たちは切り替えられるけれども、高齢者にはそれが切り替えられない。すると、「もう自分は人間として駄目だ」と、焦りやパニックが出てくる。周りの若年世代の側もつい、「もう使わなくていいから」「じゃあ、インターフォンは出なくていいから」なんて言ってしまう。でも、それは高齢者にとっては、たとえば、お友達を好きなときに呼べない生活、好きな時に熱いお茶が淹れられない生活になるということですよね。それを若い世代が勝手に決めていいのか。すごく難しい問題です。

使いやすさ・使いにくさが、生活の深部にまで食い込んできている状況があります。たかがＩＨの使いやすさで、人としての気持ちをえぐるようなことをしているのが、私はとても嫌なんですね。ほとんどの人がそれに気付いていないということも。もちろん、ＩＨを作っている側は、分かってもらえないところをどうやって「安全に」「使ってもらう」かと考えています。でも、マンションを造る人たちは何も考えずＩＨを入れている場合が多々あるわけです。

親の介護って、多くの場合、子供の側は「素人」じゃないですか。介護のプロではない人が親の変化と環境づくりの両方に向き合わなければいけないときに、どちらかというと、環境デザインのほうをどう変えるかという視点ではなくて、この人（親）の活動をどうやってコントロールするかという視点になってしまうところが、どうしてもあります。

多くの人が１００歳近くまで生きるようになればなるほど、その問題が出てきます。健康であっても、75、80歳くらいから少しずつ認知的な過程が変わっていく、そのことをどう認識して、その人たちと接する私たちはどう変わっていけばいいのか。どうやってベストではなくてもベターな環境を作っていけるのか。

このあたりはぜひＳＦ作家さんに扱ってほしいテーマで、個人的には、年を取っていくということをディストピアとしてではなく描いた作品を読んでみたいと思っています。

■認知科学から考える「読む」ということ

――認知心理学の観点からフィクションを扱った研究を行ったことはありますか？

電子版と紙版で、文章の理解度を比較する研究を行ったことがあります。それも、説明文と小説とでどちらが影響を大きく受けるかを調べました。結果として、説明文では電子版と紙媒体でほとんど差が出なかったのですが、小説で差が出たんです。

電子版を読んでいるときって、テキストを読む処理以外のこともいっぱいやっていて、その量や複雑さが紙版よりも多いと思うんです。たとえば、ちょっと戻って読みたいときに、紙だとスッと戻れるけれど、電子だと「ここを何回クリックして……」という処理をしなければいけない。すると、紙で読んでいるときに単にテキストを読むだけでなくプラスアルファで思考を働かせている部分が、電子媒体では総体的に薄くなってしまって、その結果記憶に残らなくなるのではないかと推測しています。

人間が情報を受け取る媒体として、紙の優れたところはなかなか他に取って代われないと思います。電子媒体では、ずっと同じ画面に、違う文章が出続けるというのが、人間にとってはおそらく負荷になっている。紙では、何ページ目というのはすべて違う物理的実体だと分かりますが、電子版は同じ画面を「違うものと思ってね」と人間に要求しているわけですから。

――博士論文のときからテキストを用いた研究に取り組まれているのは、こだわりがあるのでしょうか?

実は人間の認知的なプロセスを研究するうえで一番操作しやすく、実験する際にコントロールしやすいのが「テキスト」だから、という理由です。昔から認知心理学そのものがテキスト(視覚言語)にかなり依存していて、記憶実験の多くはスライドで文字を出して覚えてもらうんです。もし音声でやろうとすると、どういうピッチでどういう話し方で、というのを一定にしなくてはいけなくなりますから。

一方でそれが音声言語の面白さでもあって、発話のプロトコル分析という形で取り組んでいます。先ほど触れた「テレビ電話がどうして使われないのか」に関わる研究で面白かったのが、電話で話しているときには声に出して笑う回数がとても多く、しかも話し手が話す前に笑うという行動が出てくること。「それでね、昨日ね(ふふっ)」というように。これは対面ではよっぽどじゃないと出てこなくて、その代わりに表情とか間とかピッチを変えたり、ジェスチャーで見せたりしているのですが、それを電話でやるときには、「ふふっ」を入れることによって「私はこれから面白いことを言うよ」とメッセージに取り込んでいる。要するに、メールで書くときにはメールに最適化してテキストを書くのと同じように、私たちは音声だけで対話するときには音声に最適化しているんです。

考えてみれば当たり前なのですが、私たちは音声というものを非常にうまく使いこなしています。音声言語は、話者が意図的あるいは非意図的に言葉の発し方をコントロールすることによって、かなり違うメッセージを出すことができる——この豊かさに感動して、そこから発話プロトコル分析が好きになりました。

——言葉に関する研究をしながら小説を読んだりすると、何か気付くことや別の見方があったりしますか？

気に入る小説は、そのあたりが丁寧に作られていると感じます。たとえば宮部みゆきさんの本を読むと、言葉の扱いがすごいなと思うことがあります。

知人に細馬宏通さんという認知科学者がいて、彼はドラマのプロトコル分析をやるんです。テレビドラマの『あまちゃん』をとても気に入って、毎回「どうしてこの登場人物がこのタイミングでこれだけの間を取ったか」「なぜそのときにこの呼び名を使ったのか」などまで分析してブログに載せていたら、それが『今日の「あまちゃん」から』という本にもなりました。要するに、細馬さんが分析をしたときに網に引っ掛かってくるような要素を脚本の宮藤官九郎さんがうまく使っていて、だからこそ視聴者は引きこまれていくんですね。

個人的には、テレビドラマの『アンナチュラル』は音の作りが巧妙だと感じた作品でした。会話のテンポが普通よりずいぶん速いと思うのですが、効果音も実に良いタイミングで入ってきて、それによって場が転換する。すごいなと思いながら観ていました。

好きな作家さんとか好きな演出家さんがみなさんそれぞれいるでしょうが、きっとそういうところなのだと思います。

——考えてみれば、フィクションもまた人工物ですね。小説を読みながら自分の心の動きを捉える、その理由を考えるといったご経験が研究の原体験になったのではないかと、お話を伺っていて感じました。

たぶん、謎解きが好きなんです。「人はどうしてこうしてしまうんだろう」という謎解きが。

昔は世の中の人はみんなそうだと思っていたのですが、たとえばエレベーターに乗ったら「操作盤をみんなはどういうふうに使っているのか」とか「どうしてみんなはあっちを先に押すんだろう」と考え始めます。自分が操作を間違えると何をどう間違えたかを分析するのですが、その後で「自分だけじゃなくてみんながみんな間違えるとしたらそれはなぜなのか」と突きつめて考えていく。ピースがぴたっとはまると、「なるほど、世界がこうなっているると人間の頭の中ではこういうふうに処理するから、こうなるんだ」と分かる。それが高齢者の場合は、たとえば情報を保持する力が弱くなって、そうするとそこが乗り越えられなくなって……といったことを個別に見ていくとすごく面白いので、そうやって日々、謎解きを楽しんでいます。

そして「これをやってみたらこんなことが起きるんだね」ということを考える契機として、SFは文字通りの「思考実験」ツールであり、とても貴重だと思っています。そのプロセスで、人間ってこういうことなんだ、人の認知ってこういうことなんだ、と少しずつ視点が得られていく過程があるので、それが研究につながっていますね。

第5章

身体という「距離」を超える

南澤孝太

南澤孝太（みなみざわ・こうた）
1983年生まれ。慶應義塾大学大学院メディアデザイン研究科（KMD）教授。JST ムーンショット型研究開発事業 Cybernetic being Project プロジェクトマネージャー。2005年東京大学工学部計数工学科卒業、2010年同大学院情報理工学系研究科博士課程修了。博士（情報理工学）。KMD Embodied Media Project を主宰。触覚技術を活用し身体的経験を伝送・拡張・創造する「身体性メディア」の研究開発と社会実装、Haptic Design Project を通じた触感デザインの普及展開、新たなスポーツを創り出す超人スポーツやスポーツ共創の活動を行っている。

■触覚というメディア

――まずは、南澤さんの研究内容について教えてください。

僕の研究テーマは「Embodied Media（身体性メディア）」と呼ばれる領域で、これは人が身体を使うことで得られるさまざまな感覚や体験が、テクノロジーによってどのように拡張されるかを研究するものです。たとえば、テクノロジーを使うことで異なる時空間を体験できるようになったり、普段の体験もより敏感に感じられるようになったりする。あるいは、遠く離れた他人と身体感覚がつながることで、相手の感じていることを自分も感じられるようになる。そうした身体感覚の共有や拡張、ゼロからの創造にトライしています。

いま僕らが狙っている領域は2つあります。ひとつは、テクノロジーによって人の感覚が拡張していくなかで、拡がりつつある人間の世界観をデザインしていくこと。人間が生物的な身体の限界を超えられるようになっていく時代に、「僕らはどこに向かいたいのか？」を考えながらテクノロジーをつくっていくことにチャレンジしています。もうひとつは、人と人との空間を超えたつながりや新しい共感のあり方を生み出すこと。こうしたテクノロジーによって遠く離れた人や過去の人物とも身体感覚を通してつながれるようになることで、物理的・時間的には離れていても「一緒にいる」という感覚を得られるようになると考えています。

――それらの研究のキーコンセプトである「ハプティックデザイン」とはどのようなアプローチなのでしょうか？

ハプティックデザインとは、人間の皮膚感覚や体を動かす運動感覚を取り出して再現することで新しい体験や価値を生み出すことを指します。そうすることで、たとえばロボットの感覚を自分で感じながらその操縦をしたり、電話で話している相手が触っているものをスマートフォン越しに感じることができたり、あるいはそうした感覚をＳＮＳで共有することで、触覚を他人に伝えられるようになります。

以前行ったプロジェクトに、バスケットボール会場のどよめきを離れた場所に送るというものがありました。地方で行われた試合を東京にいる観客に送るということをやったのですが、体育館の床下にセンサーを埋め込み、その信号を別会場で再現することで、ボールが床に落ちる振動から選手が着地する振動までを遠くにいながら感じることができる。試合の映像と足元から伝わるリアルタイムの振動によって、数百キロ離れていても本当に会場にいるような感覚を再現することができました。
ほかにも化粧品会社と共同で「肌を触る感覚」を増幅することで化粧品の効果をより敏感に感じられるような体験をつくったり、ゲームデザイナーの水口哲也さんとともにVRゲーム『Rez Infinite』のための、キャラクターの皮膚感覚を感じることのできる全身触覚スーツ「Synesthesia Suit」をつくったりしています。

――身体拡張の領域ではどのような研究を行っているのでしょうか？

2本のロボットアームを装着することで人間に第3・第4の腕を与える「MetaLimbs」と呼ばれる研究や、進化の過程で人間が失った尻尾を人工的につくることで「バランスをとる」「重い荷物を持ち上げる」といった運動を補助する「Arque」という研究、ほかにも障害のある方たちとともに特別な機能をもった身体をつくるプロジェクトも行っています。たとえば、生まれつき肘から先のない方の「楽器を演奏したい」という夢を叶えるために、腕そのものが楽器になっている「義手楽器」をつくりました。近視が障害とみなされずに眼鏡をかけることがファッションになっているように、いま障害者と呼ばれている人々の身体を拡張することで、義手もファッションになっていくような社会をつくることにつながると考

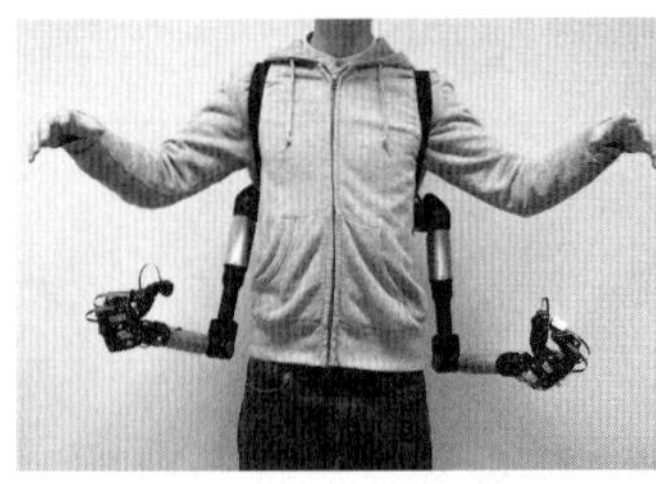

MetaLimbs　©KMD Embodied Media & 東京大学 稲見研究室

Musiarm　©Kaito Hatakeyama & ©KMD Embodied Media

えています。

——ハプティックデザインや身体拡張などの「体験や感覚を再現する＝VRをつくる」というテーマに興味をもったきっかけはなんだったのでしょうか？

最初のきっかけはディズニーランドでした。子供の頃はずっと浦安で育ったので、ディズニーランドという「テクノロジーを使って空想の体験をつくり出す環境」がすごく身近にあったんです。また幼少期からものづくりが好きだったので、アトラクションに乗っても「どこにスピーカーがあるんだろう？」「どこにプロジェクターがあるんだろう？」といったことばかり気にしているような子供でした。

その後、高校生の頃に東京大学の学園祭に行ったときに、「ＡＲＩＥＬ」というＶＲサークルが展示していた「バーチャル金魚すくい」をやったことも大きなきっかけになっています。プロジェクターで映した金魚が浮かんでいて、そこに手を入れることで金魚をすくうことができる。当時はCGで金魚すくいを楽しめること自体が新しかったのですが、それに加えて金魚の重さや跳ねている感じ、水の抵抗力までも感じられるというのが衝撃的で。子供の頃から好きでつくっていた電子工作が、こういう体験を設計することにつながるんだなと思ったのを覚えています。

■行って、戻ってくる体験

——研究内容についてお伺いしたところで、影響を受けたフィクション作品についてお聞きしていきたいと思います。まずは、人生で最も繰り返し触れた作品やいちばん影響を受けた作品は何でしょうか?

いちばん影響を受けたのはSFよりもファンタジー作品で、ミヒャエル・エンデの『はてしない物語』や『モモ』の世界観は昔から好きですね。あとは『ナルニア国物語』のように、現実世界と仮想世界を行き来するもの。当時はまったく意識していませんでしたが、『はてしない物語』のなかで本を開いてその世界に入り込むというのは、まさにVRの体験なんです。

そしてその本のなかの世界が、現実世界に帰ってきたときにも何かしら主人公に影響を与えている。『ナルニア』でも、異なる世界に行ってから現実世界に戻ってきたときに、その体験が自分の生活に反映されている。空想のなかでの体験が僕らの成長や人間観に影響を及ぼしている、という世界観は昔から好きでした。

ほかに子供の頃に好きだったのは、『バック・トゥ・ザ・フューチャー』シリーズやジブリ作品。『バック・トゥ・ザ・フューチャー』シリーズではデロリアンに乗って過去や未来に行き、再び現実に戻ってくると世界が変わっていたりする。また異なる世界での体験や不思議な力が現実世界に影響を与えるという意味では、『魔女の宅急便』や『となりのトトロ』にも近いところがありますよね。たとえば『トトロ』で特に好きなのは、サツキとメイがネコバスに乗って風になるというシーン。彼女たちはファンタジーの世界に行っているのでカンタのおばあちゃんからは見えないんだけど、2人には現実世界が見えている。あのシーンはすごく印象に残っています。

最近のラノベでは向こうの世界で超人的なパワーを得て戻ってくるような作品もありますが、あくまでも自分のままでありながら戻ってくるほうが、おそらく当時の僕にとって自分ごと化しやすかったのだろうと思います。

——「戻ってくる」というところがポイントなんですね。バーチャルスーツものの作品でも、スーツを着てすごい体験をしても、脱ぐと元の現実に戻ってくることが多いように思います。

バーチャルスーツやアバターを纏って強くなっても、結局試されるのは本来の自分なんですよね。『ジュマンジ／ウェルカム・トゥ・ジャングル』でも最初はアバターの能力を楽しむんだけど、時間が経つとボディが変わったことによってむしろ自分自身の特性や本質がよりクリアに表れてくる。

いまはリアルの世界でもVTuberのようなものが出てきて、「仮想空間で自分の身体を変える」という体験が普及し始めていますが、「身体から解き放たれたからこそ人の本質がクリアに抽出される」というのは現実世界でも起こり始めている現象だと思います。Twitter（現X）の人格のほうがその人の本質をよく表している、ということだってあるかもしれません。バーチャルスーツやアバターものの作品で描かれてきた世界は、いまリアルになりつつあると感じています。

■バイブルとしての『攻殻機動隊』

――南澤さんの研究活動に影響を与えた作品について教えてください。

やっぱりこのジャンルで誰もがバイブルにしている『攻殻機動隊』の影響は大きいですね。僕が入った舘暲（たちすすむ）先生の研究室の本棚には『攻殻』が置いてあって、講師の川上（直樹）先生から「最初にこれを読んで、この分野の人たちが目指している世界観を理解しておきなさい」と言われたものです。

『攻殻機動隊』が生まれた約35年前というのは、ちょうど研究者側も、義体技術や人間の脳や感覚がインターネットに接続される未来というものを描き始めた頃だと思います。最初は『攻殻』がそんなに前の作品だとは知らずに読んでいたのですが、後から考えると、研究者もそうした技術を考え始めた時期に義体化や電脳化が普及した世界観があそこまで緻密に描かれていたことにものすごく驚きました。

逆に『攻殻』の世界に影響を受けた研究者が技術をつくっているからなのかもしれませんが、２０２９年という時代設定も含めて、それまでに実現しうる技術トレンドがリアルに描かれている。自分の研究を考えても、「腕を自由に取り替えられる」というコンセプトはこの作品に影響を受けていると思います。

――『攻殻機動隊』のなかで、特に印象に残っている設定やエピソードはありますか？

主人公の草薙素子が複数の遠隔義体を操作しながら相手を追い詰めていく、というシーンがあるのですが、その概念は以前から面白いと思っていました。当初のテレイグジスタンス研究では、基本的には操縦者とアバターが「1対1」の関係になることが想定されていました。僕らも「自分の遠隔義体をつくる」と考えるときに、それこそ映画『アバター』のように自分の100%の分身としてのアバターを思い浮かべがちだと思います。しかしあのシーンでは、義体をマルチに操作したり、義体から義体へと乗り移ったりする様子が描かれている。

僕らの研究室ではいま、別々の場所にある複数のアバターロボットを同時に操作する「レイヤード・プレゼンス」という実験を始めているのですが、人の意識をあえて分散させて同時に複数のアバターを操るという概念は『攻殻』からインスピレーションを受けています。

――そのほか大学時代に影響を受けたり、研究室のなかで話題になった作品はありましたか？

僕が研究室にいた頃は、『アバター』や『サロゲート』といった映画が公開され、義体技術やアバター技術がＳＦ映画に取り入れられるようになった時代だと思います。その頃の作品のなかでも衝撃を受けたのが『インセプション』でした。

記憶のなかに入り込み、そこで問題を解決して戻ってくるというコンセプトが面白かったことはもちろん、特に印象に残っているのが「現実か夢か」を判断するためにコマを回すという設定です。というのも、実際にＶＲやテレイグジスタンスの研究においても、「自分が対面している世界が現実なのか仮想なのか」がわからなくなることが起きるんです。そうすると自分がいまどこにいるのかがわからず、冷や汗が出るくらい不安になってしまう。

そのときに僕らが何をするかというと、自分の手を見るんです。手の動きが自分の意志とずれていなければ本物の世界だとわかるし、そこにずれが感じられると偽物だとわかる。その感覚と『インセプション』のコマを回す感覚はものすごく近くて。身体化された物理現象を見ることで「自分がどっちの世界にいるのか」を判断するという身体認知の概念がＳＦ映画の世界に取り入れられたということが、すごく印象に残っています。

■いま「フィクション」と思えるもの

――最近のＳＦ作品のなかで、ＶＲはどのように描かれているとお考えですか？

『レディ・プレイヤー１』はＶＲが世の中で流行り始めたタイミングで映画化されましたが、テクノロジーの観点では現代のＶＲ技術が凝縮された面白い作品で、本作のパンフレットでは水口哲也さんが、僕らと共同開発した全身触覚スーツの話を書かれています。とはいえＶＲを研究している立場からすると「僕らはああいうディストピアに行きたいわけではないんだよな」と思いながら、ちょっと冷静な眼で観ていました。

逆にＶＲが現実逃避のためのものではなく、日常生活のなかで普及した世界観を描いているのが『電脳コイル』だと思います。『電脳コイル』が放送された２００７年当時はいまほどＶＲは流行っていませんでしたが、早いタイミングからＶＲを「日常」として描いてくれた点がＶＲ研究者としてはありがたかったですね。

どうしてもＶＲを描こうとすると『マトリックス』や『トロン』のような世界観になりがちじゃないですか。黒い背景に、青と緑の線が描かれているような世界です。でも僕らの世代のＶＲ研究者にとっては、実はそこにはリアリティがなくて。もちろんエンタメとしては面白いんですが、自分たちがつくりたい未来はその『トロン』的な世界ではない、という違和感をもってしまいます。

反対に『電脳コイル』では、本当に日常の、いまの延長線上としてVRやARが普及した世界を、等身大の女の子の目線で描いてくれていました。僕自身が新しい触覚をデザインするときのポリシーは、日常使いができることなんです。いつもの生活のなかで使われる技術をつくっていきたいと思っているので、これからも「日常における新しいVRのあり方」がSF作品に取り入れられていくといいなと思います。

——『電脳コイル』のなかで印象に残っているシーンはありますか?

主人公の女の子が、VR空間のなかで「デンスケも触れたらいいのにな」って言いながら、ウイルスに侵されて病気になった犬をなでるシーンがあるんです。そのときに、あの仮想世界でも触覚はまだ実装されていないこと、そしてやっぱりVRのなかでも「触りたい」という欲求があるということに気づきました。

『電脳コイル』の磯光雄監督には日本バーチャルリアリティ学会で講演していただいたことがあるのですが、VRやARに関してはいまの技術を拡張することで未来を考えることができた一方、触覚に関してはVRのなかで再現できるところまでテクノロジーが進化している状況を設定できていなかったとおっしゃっていました。あのシーンを見て、「VRのなかでも触覚を再現できるようにならないといけないな」と思ったのを覚えています。

――「日常生活で使われるVR」のほかに、いま南澤さんがSFに求めることはなんでしょうか？

もうVRなんて過去のものになっている状態、あるいはいまの携帯電話くらいに普及している未来における「新たなパラダイム」を考えるヒントが欲しいと思っています。というのも、VRはこれまでSFとして描かれてきましたが、僕ら研究者にとっては、VRはもはやフィクションではなくリアルのテクノロジーなんですよね。それがどういうふうにこれからの社会に普及して、実装され、生活のなかに取り込まれていくのか、という視点でこの技術を見ています。

そういう意味で、僕がいますごく欲しいと思っているのは、〝その先〟なんですよね。かつてVR技術はフィクションとして構想され、アイバン・サザランドやマービン・ミンスキーのような研究者たちによって現実のものになってきました。そうしたSF作家と研究者たちのやりとりのなかで、50年かけて実現されてきたと思うんです。一方でいま、僕らの世代にとってVRやAIがすでに将来実現されることが見えているリアルな技術になったときに、「僕らがいまフィクションだと思えるものは何だろう？」ということを最近疑問に思っています。

とはいえ宇宙人系にいってしまうと、完全にリアリティのないフィクションになってしまう。その間くらいにある領域——いまのVRよりは明らかに先だけれど50年後の世界で実現されているような技術、そしてAIやVRからは解き放たれたところにある世界観——は何なんだろう、ということが最近気になっています。僕自身も自分の年齢を考えたときに、あと30年ほど研究者として働くわけです。その未来においてVRやAIはただの日常になっているはずなので、果たして30年後に自分は何を研究対象にしているんだろう、と。次のパラダイムを考えるための作品については、逆にみなさんに質問したいところです。

——劉慈欣の『三体』は読まれましたか？

『三体』は読みましたが、あれは僕にはフィクションというよりリアルに感じてしまうんです。もちろん宇宙人のところはフィクションとして読みましたが、VRゲームの場面は自分が接する技術や目指す世界観に近すぎて、逆にリアルな設計対象として捉えてしまう。VRやARではないまったく新しい技術のパラダイムや次の時代の世界観というのは、僕ら研究者側も考えていかなければいけないと思っています。

——VRを扱った作品は多くありますが、そのなかでもまだSFで描かれていない概念や南澤さんがフィクションで見てみたいシーンがあれば教えてください。

いまの研究に直結する概念になりますが、「人と人の感覚がつながった近未来」がどうなるのかには興味がありますし、僕自身も描いていかなければいけないと思っているところですね。いま僕らは会話というかたちで相手の顔を見ながらコミュニケーションをしていますが、相手の感覚がすべて伝わってしまうことが可能になったときに、僕らの認知はどこまで広がるんだろう？　他者とのコミュニケーションはどう変わるんだろう？　あるいは、仕事の仕方を含めて生活のあり方はどう変わるんだろう？　ということは気になっています。

といっても、『新世紀エヴァンゲリオン』の人類補完計画のように全員が均一化してしまうのではなく、個々人が自身の個性や身体をもった状態でつながると何が起こるんだろう、というところに問題意識をもっています。

■ボトムアップの人間拡張

――お話をお伺いしながら、南澤さんが常に「異なる他者」や「異なる当たり前」に対する目線をもっているように感じました。VRという技術を使うことで他者とのコミュニケーションの新しいかたちを考え、身体拡張によって「障害が障害でなくなる社会」をつくろうとされています。そうしたオルタナティブな価値観に対して意識的になった原体験というのはあるのでしょうか?

原体験といえるかはわかりませんが、小学生の頃から星新一をよく読んでいたのを覚えています。そこで描かれるのはいまでこそ未来よりも現在に近いテクノロジーになっていますが、当時は「普通とは違う世界線」、あるいは「いつもとは違う面白い日常」として読んでいました。ほんの数ページのショートショートにもかかわらず、星新一の作品は頭のなかでシーンが思い浮かぶんですよね。だからいまあらためて振り返ると、星新一の小説を通して、僕らの日常がこれからどう変わっていくのかを想像する力を養うことができたのかもしれません。

ほかには、SFではないですがオリヴァー・サックスの本が好きで。彼が書くのは神経科学にまつわる現実の話ですが、SFよりもある意味フィクションのようなエピソードが綴られている。『火星の人類学者』や『妻を帽子とまちがえた男』を読むと、人間にこんなことが起きうるんだ、と驚かされます。現実はときにSFよりもSFっぽい、事実は小説より奇なりであることを教えてくれる作品です。

――そのほかにノンフィクションの分野で、価値観に影響を受けた作家や思想家はいますか？

アンディ・クラークの『生まれながらのサイボーグ』やマーシャル・マクルーハンの「メディアは人間を拡張する手段である」という考え方、そしてJ・J・ギブソンの「感覚とは人間の境界を捉えるものである」という視点には影響を受けています。それらの思想に影響を受けて何かを始めたというよりは、自分たちがやってきたことを振り返るときに、こうした哲学領域の本を読むことによって「自分の研究はこうやって説明されるものなんだ」と確認する感覚が強いですね。最近ではユヴァル・ノア・ハラリの『サピエンス全史』を読んで、研究者が考えている人間拡張技術の概念がすでに哲学の領域でも扱われているんだ、ということに驚きました。

ただ『サピエンス全史』を読んで思ったのは、自分自身は神になりたいわけではないということ。僕は基本的に、何かを征服したいとか全知全能になりたいというふうには思ってなく、どちらかといえば個々の人々の生活に興味をもっています。これは欧米と日本の宗教観の違いに通じるのかもしれませんが、全知全能の人間が現れて世界をリードするよりかは、個々の人間がアップデートされることでコミュニティや社会全体がアップデートされていくほうがいいんじゃないかと思っている。それを日本的と呼ぶべきかどうかはわかりませんが、人間拡張に携わる一研究者としては、個々を考えることで社会全体をよりよくしていくような世界観を描きたいと思っています。

■ＶＲとしてのディズニーランド

――南澤さんが研究室に入ったときに「『攻殻機動隊』を読んでおけ」と言われたというお話がありましたが、南澤さんがいまＶＲやハプティックデザインを学びたいという学生に勧めるならどんなＳＦ作品を選びますか？

いまの学生は、映画やアニメの影響ですでに「VRネイティブ」になってきていると思います。僕らが子供の頃にSFを見て育んだ感覚をすでにもった状態で研究室に入ってくるんですよね。それはよいことであると同時に、既存のVRを当たり前のものとして受け入れてしまうと、〝いまの当たり前〟を変えていくことにつながらない。なので、新しい視点を得るための作品を勧めるというよりかは、やっぱりある体験の裏側がどうなっているのかだとか、どういう思想や工夫によって技術が実現しているのかというところに意識を向けてほしいと思っています。

そうした視点をもってもらうために、このあいだ僕の研究室でディズニーランド・ツアーというものを行ってみました。うちの学生には僕以上にマニアックで、ディズニーランドに関するすべての特許を調べているような学生がいるんですけど、そうした特許の解説付きのツアーを行ったんですね。「ここにはこういう特許が使われている」「この裏にはこういう技術がある」といったことを話しながら園内を歩くと、どういう音や視覚効果が組み合わされて、どんなふうに人の体験をかたちづくっているのかが見えてくる。人の感覚や体験がテクノロジーとピュアに結びついている環境として、テーマパークからは多くのインスピレーションを得ることができると思っています。

またうちの研究科には留学生が多いので、バックグラウンドとしている言語や文化もみんな違うんです。すると、ドラえもんやジブリ作品のような日本人なら誰もが知っているような物語も伝わらなかったりする。日本の漫画やアニメが好きで日本に来る子も多いものの、共通の原体験とまではなっていないんです。そうしたなかで僕らが目指す世界観をどうやって伝えられるかを考えると、実際に体験してもらったほうが早かったりする。みんなでディズニーランドに行って、体験を楽しみつつもその裏側に意識を向けることを覚えることで、僕が研究者として大事にしたい価値観も伝えられるのではないかと思っています。

——「ディズニーランドの裏側を見る」とは、まさに南澤さんが子供の頃に行われていたことですものね。

ディズニーランドではある空間の感覚や体験をつくり出すために、音や光のすべてがコントロールされています。その仕組みがうまく隠されているが故に、それを読み解くのが子供の頃の僕にはすごく面白かったんだろうと思います。

たとえば「スター・ツアーズ」に乗りながら「乗り物はどれくらい傾いているんだろう?」と思って見てみると、全然傾いていないんですよね。乗り物自体はちょっとした動きなんだけれど、そこに映像と音を組み合わせることで急降下しているように感じられる。いまから振り返ると、それはまさにVR体験だったわけです。当時はVRという言葉は知りませんでしたが、そうした空想の体験を設計することに関われたらとずっと思っていました。

――ディズニーランドがVRである、という視点は非常に面白いですね。

面白いのは、ディズニーに買収されたピクサーの創業者エド・キャットマルは、「VRの父」といわれるアイバン・サザランドの弟子なんですよね。サザランドはVRという言葉こそ使っていませんでしたが、HMDやタッチペン、スタイラスなどを最初に考案し、CGの概念をつくり上げた人物として知られています。他にもパーソナルコンピュータの父、アラン・ケイも、Adobeの創業者もみなサザランドの弟子で、いま70歳代後半の方々なのですが、エンタメ×テクノロジー業界の基礎をつくったあの世代は偉大ですよね。

振り返ると、こうした世代からテクノロジーで仮想の体験をつくり出すための特許が多く生まれていたことがわかります。現在は幸い、そうした人たちと同じ領域で仕事をすることができており、たとえばディズニーやピクサー、ルーカスフィルムの研究者やデザイナーが主催する「SIGGRAPH」という学会には僕らも毎年参加しています。その学会で発表される技術は、次のテーマパークや次のCG映画、次のゲームや次のVR体験に使われるものばかりで、実際に隣で発表されていたフォグスクリーンの技術が「カリブの海賊」に導入されていたということもありました。

「テクノロジーで体験をつくり出す」という意味では、ルーカスフィルムやピクサーが生まれた1970~80年代はやっぱりすごい時代だったんだろうと思います。研究者も含めて、多くの人が完全に新しいものをゼロから生み出していた。そうしたことを、僕らもやっていかなければいけないと思っています。

第6章

ストーリーに書けないものが見たい

池上高志

池上高志（いけがみ・たかし）
1961年生まれ。東京大学大学院総合文化研究科教授。専門は複雑系・人工生命（Alife）。東京大学大学院理学系研究科博士課程修了。理学博士（物理学）。ALIFE Lab.代表理事。オルタナティヴ・マシン取締役最高科学責任者。アート作品でも注目される。

■生命の多様性を探求する

――まず、池上先生がどのような研究をされてきたか教えてください。

コンピューター実験を通して生命を理解する、ということをやってきました。ツールとして用いるのは力学系のカオスやニューラルネットワークです。１９８７年、アメリカのロスアラモスに様々な分野の研究者が集まって、ＡＬｉｆｅ（Artificial Life、人工生命）という分野ができたのですが、その初めの頃からこの分野を専門にしています。

１９９２年に、東京大学の金子邦彦先生、津田一郎先生と複雑系の研究分野を立ち上げました。いわゆる普通の生物学とは違い、ＤＮＡと細胞以外から生命を理解できるかとか、複雑なものをリダクション（削減）しないで分かるかとか、構成論的なアプローチで生命を理解したいと考えたんです。でもだんだん、実際に現実世界に構成することに一生懸命になり、２００８年以降は、化学実験や、ロボットの実験、抽象的なセンサーネットワークや意識的な機械など様々なものを用いて、現実世界での人工生命現象を理解する取り組みを始めました。２０１６年からは大阪大学の石黒浩先生と一緒にアンドロイドの実験を始め、生命性ということから人間を理解しようということもやっています。

――人工生命という分野がどういうものか、もう少しご説明いただけますか?

最初にこの分野を立ち上げたクリストファー・ラングトンは、「現実に見られる生命だけじゃなくて、あり得たかもしれない生命を考えたい」という名言を残しています。人類は鳥から飛行機を作りましたが、飛行機は鳥ではない。人工生命は飛行機にはない鳥の「自律性」という部分に目を向けたんです。数学には理論と実験があります。この実験数学に対応するものをやっているのが、人工生命なのではないでしょうか。AIが最適化をする技術であるとするならば、ALifeは最適ではない、生命の多様性の原理を探求する分野と言えるでしょう。

■特撮に魅せられて

――子供の頃にはどのようなフィクションに親しまれていましたか?

特撮が大好きでした。小さい頃アメリカで暮らしていて、日本に帰ってきたらいきなり

『ウルトラマン』が始まっていて驚きました。何でこんな気持ち悪いものがみんなのヒーローになっているんだ！　ウルトラマンは銀色で、目もトンボみたいで、全体に違和感が半端なかった。もちろんすぐに大好きになりましたが。前身の『ウルトラQ』も再放送をかかさず見ていました。

もう少し後になると、『スター・トレック』が興味の中心でした。小学校5年生の時くらいにファーストジェネレーションを何度も見ていて、大ファン（トレッキー）になったんです。エンタープライズ号の模型を買ってきたり、カレンダーを買ったり。登場人物のカークもスポックもマッコイの会話も、瞬間的に移動する転送も、光の速度のN乗で加速するワープ航法も、すべてがかっこよかった。『スター・トレック』の前にやっていた『宇宙家族ロビンソン』も素晴らしかったですね。生命がいると思われるアルファ・ケンタウリ星へ行く途中で別の星に不時着しちゃう話で、『ウルトラQ』に似たものを感じました。

それから、『サンダーバード』もテレビでよく見ていました。人形劇による特撮ですが、ギミックが素晴らしくて、メカが精密に作られているんです。プラモデルもよく作っていました。特にサンダーバード2号は、いろんな装置が載ったコンテナがついていて、今日は何番目のコンテナで行くかという展開が好きだったので、2号だけ何台買ったか分からないくらいです。

——いまでも特撮は見ていらっしゃいますか？

「ゴジラ」や「ガメラ」などのシリーズは全部見てきましたが、しかし最近の『シン・ゴジラ』は素晴らしかった。「ゴジラ」シリーズは初代は好きですが、『ゴジラ・エビラ・モスラ　南海の大決闘』あたりからシリアスじゃなくなっちゃって。でも、『シン・ゴジラ』は初代に匹敵する面白さでした。まぁ、『エヴァ』（『新世紀エヴァンゲリオン』）なんですけど。

■ギミック、理論、世界観が好き

——ほかに好きなSF映画は？

『エイリアン』が好きですね。1はスリラーもの、2は戦争ものとして面白い。H・R・ギーガー（同作のアートワークを務めた画家）のデザインが良くて。スイスのローザンヌにあるギーガーの博物館にも行ったし、むかし目黒にあったギーガーのレストランにも行きました。エイリアンが突き出したような座りにくい椅子で、気持ち悪い食事がいっぱい出てきました。つぶれちゃいましたけれども。

——人工生命を研究されているということで、やはり地球外生命体にもご興味が？

　そうですね、しかし、そこはあんまり真面目に考えてないですね。もしいるとすれば、エウロパ（木星の第2衛星）の海にいる三葉虫くらいだろうと思っています。僕、三葉虫の化石を集めているんです。でも最近はカンブリア紀のは手に入りにくくなっていて、アメリカから輸出禁止になっちゃって、残念ですね。

　ばけもの系のSF映画だと『遊星からの物体X』や、『宇宙戦争』の古いほう（トム・クルーズのやつもまあまあ暗くていいけれども、その前のやつ）も良かったです。『ソサエティー』という映画は見たことありますか？　人間の半分は実はナメクジだったという映画です。ナメクジは上流階級で普通の人間は下層階級で、上流階級がパーティーを開いているんです。ところがナメクジにはものすごい弱点があって、内側と外側をひっくり返しちゃうとどうしようもなくなっちゃう。それで内側と外側をひっくり返すという、そういう映画（笑）。SF映画は日本よりも外国の方が『シン・ゴジラ』以外は断然いいですよね、なぜか。

ニール・ブロムカンプ監督の『第9地区』も最高ですね。元気のないときに何度も見ているんだけれども、宇宙人の設定、装置や兵器、メカニックデザイン、どれも素晴らしい。僕はそういうギミックが好きということですね。ギミックだけで勝負してほしい。SF映画に恋愛ものをかぶせられるのが苦手なんで。場面は詳しく覚えているんだけど、リニアなストーリー展開が無理なんです。ストーリーをあまり追えない。途中でずれていっちゃうんです。

――物語の展開よりも、設定や世界観を重視していらっしゃると。

ギミックそのものと、理論的設定や理論そのもの、世界観とか肌触りが好きです。『マルホランド・ドライブ』『インランド・エンパイア』とか、デヴィッド・リンチ監督はその理由で好きですね。『ブレードランナー』とか、リドリー・スコット監督も同じ意味で好みです。クリストファー・ノーラン監督の『インターステラー』『インセプション』は、やはり最近の映像技術の凄さと相まって、異次元の良さですね。

小説だと、リチャード・パワーズの『幸福の遺伝子』やロベルト・ボラーニョの『2666』。物語の構造自体が、普通とは違うところを狙っている。話がメタ的で面白いというか。

油断すると「ストーリーだけ」を追いかけるプロット的なSF小説が多い。展開だけを楽しませるみたいな。僕はストーリーの面白さよりも、リアリティがどのくらい新たに構築されているか、そういうことに興味がある。

三島由紀夫の『豊饒の海』も好きです。あれはすごいSFだと思うけれども、SFでいいですか？（笑）

あとはクァンタン・メイヤスーの「減算と縮約」（『亡霊のジレンマ』所収）。あれは「司祭」のような道具立てが楽しい。

――「減算と縮約」は哲学ですが、SFとして読まれているんですね。

哲学とアートは科学にはできない領域を見せてくれる。たとえば、いまの世の中は表象で溢れかえってる。実際に現場に行かなくても、iPhoneに映像が流れたり、ものすごく精緻な映像が見れたり、オキュラスやなんかでVR・ARが簡単に体験できる。すると、ますます物自体に接触することはないわけです。ここで言う表象とは、メイヤスーが言うところの縮約というやつです。情報を圧縮して提示している。でも、ほんとうはその表象の向こう側が見たいわけです。現実は表象に落とし込めないノイズで満ちている。そこで、減算という考え方を持ち出してくる。分からないものを分からないままブラックボックスとして使って計算してしまおうということです。たとえば、いちいち考えなくても僕らは冷蔵庫をあけてビールを取り出せる。表象をつくらなくてもいい現実の動かし方。こういう話ちょっとSF的ではないですか。

――いわゆるジャンルSFでは、どんな作品が好きですか？

グレッグ・イーガンは好きですね。『順列都市』は世界をノイマンの自己複製オートマトンで再構成する話で、人工生命の研究そのものですからね。でもそういうハードなだけではなくて、「しあわせの理由」とか「ぼくになることを」とかも良かったです。グレッグ・イーガンの作品は、抽象的であればあるほど好きになる感じで。コンセプチュアルに面白ければ、ストーリーはちょっとどうでもいいかなと（笑）。

僕は2004年のボストンの国際会議ALIFEのオーガニゼーションに関わっていたんですけれども、その時に「グレッグ・イーガンを呼びたい」と言ったんです。でも多くの研究者は真面目で、SFは研究じゃないからと反対されて、呼べませんでした（笑）。人工生命の分野の研究者にはグレッグ・イーガンを好きな人は多いと思うんですけどね。呼べるものなら、トマス・ピンチョンやテッド・チャンも良いかな。そういえば、テッド・チャンは来日していましたよね。円城塔さんとかと話していた（2007年に横浜で開催された世界SF大会での「テッド・チャンを囲む会」）。もちろん円城さんの作品も素晴らしいと思います。特に最初の『Self-Reference ENGINE』が。彼の小説は、僕の大好きなヴォネガットを現代的にしたようなところがありますね。

日本の作家のものも、だからもちろん面白いと思います。たとえば、山田正紀さん。彼の『チョウたちの時間』も好きでした。マヨラナという実在の天才物理学者がいて、行方不明になっているんですが、彼の話がベースになっている小説です。時間粒子とか出てきたんじゃなかったかな。あと、衛星通信の研究者でもある石原藤夫さんが書いた『宇宙船オロモルフ号の冒険』。オロモルフとは正則性の意味ですね。大学1年生と2年生で習うような数学の話をネタにしていて、漸近収束を使って敵をやっつけるみたいな話だとか、あのSFは狂っていましたね。

■SFはフェイクだ

——ここからはSFを介したコミュニケーションについてお話を伺っていきたいと思います。

まず、情報はどこから来ますか？

情報はどこから来るか。それ、抽象的な意味で聞いてます？（笑）

——いえ、それも面白いテーマですが（笑）今回は物理的・哲学的な議論ではなく、SFの情報はどのようなところから得ているか、という具体的な意味です。

コミュニティどころか、あまり人と話したことないから。でも、「これが面白い」とか昔は友達と話したりしていたのがきっかけです。『エイリアン』の最初のやつとかは、もう死んじゃった親友が「むちゃくちゃ気持ち悪い」という話をしていて見に行きました。

——大学の頃はまわりの方とSFのお話などはしていましたか？

『ウルトラQ』があまりにも好きだったんで、仲間と円谷プロに行って16ミリフィルムを借りてきて、東大の五月祭で上映会をやったんです。その頃『ウルトラQ』はまだあまり再放送されていなくて、ブームの火付け役になったかもしれません。「オープニングだけ見せてくれ」という人がいたり、潜在的なファンはもちろんたくさん来ました。

あと、ＳＦかどうか分からないが、大学院の頃はまわりの院生も『ジョジョの奇妙な冒険』が好きで、最近でも「黄金の風」（第５部）のアニメが楽しみでした。この話、あまり関係ないですが。

——研究者同士で議論する時にＳＦの話題になることはありますか？

グレッグ・イーガンが好きな連中が研究室に集まっていた頃はそういう話が飛び交っていました。塵理論の解釈についてとか、いろいろやっていましたよ。『順列都市』はＡＬｉｆｅそのものだからやむを得ない。

最近では、日本の人工知能学会の会長も務められていた松原仁先生と一緒にＳＦ映画を語る対談を〈ｋｏｔｏｂａ〉という雑誌に連載していて、『ブレードランナー』や『エイリアン』、『猿の惑星』などを取り上げました。ＡＩとＳＦ映画は切っても切れない関係ですからね。星新一賞の審査員をしたときも、審査員同士で盛り上がりました。僕は昔から星新一が好きで、「エヌ氏の遊園地」や「ボッコちゃん」といったショートショートに魅了されていましたが、いわゆるＳＦではない『気まぐれ指数』という長篇も気に入っていました。星新一のSFは落語みたいですよね。だから、逆にコアなSFファンはあまり星新一を好きじゃないのかなと思っているんですが。

――学生さんにSFを薦めたりはしますか？

それは研究のためにということでしょうか。どうなんでしょうね。むしろ、SFを読む方ではなくて、書くほうが、研究とは対比できるかもしれないですね。近くでSF作家デビューしちゃった円城塔さんもいますし。でもカート・ヴォネガットは薦めています。『タイタンの妖女』や『猫のゆりかご』など、中心にある科学的世界観がぶれない感じが好きなんです。特に『猫のゆりかご』は、大学院生が結婚する時に、お祝いでプレゼントしたりしていました。

ヴォネガットはロスアラモスにいた頃、原書で読んでいたんですよね。へたな恋愛ものじゃないので好きなんです。たとえば『猫のゆりかご』では、アイスナインという9番目の氷があるという話がベースです。水は1気圧0℃で氷になるけれども、気圧を非常に高くするといろんな氷がある。今は十何種類見つかっていますが、その当時は8番目まで分かっていた。もしも常温で凍っちゃう氷があったら、世界中の海が凍っちゃって大変なことになるという話です。あとは『タイタンの妖女』に出てくる、時間を自由に行き来できる宇宙人の話とか。

——交流のあるSF作家さんはいらっしゃいましたか？

円城塔さんとは東大で一緒で、年は離れていたのですが、よく一緒にいろいろ話していました。研究とSF書くのはどう違うんだ、みたいな話もしました。SFほど劇的に面白い話は、なかなか研究に出なかったりする。でも、SFはやっぱりどこかでフェイクだ、という気持ちもある。SFのオートメーション（自動化）と、サイエンスのオートメーションのどちらが先かということも気になったりしますね。

あと、筑波大学名誉教授の星野力先生。並列計算機の研究者ですが、ALifeの研究者でもありSF小説も書いていらっしゃいます。星野先生のご自宅に招かれて、燻製の何か？をいただきながらSFの話をする機会もありました。

■ハードサイエンスだからロマンチシズムがある

――フィクションは進路選択に影響しましたか？

「なにか分からないこと」をずっと考えていたいとは思いました。フィクションはそういうものかもしれない。親父も物理学者だったんですが、当時親父が書いていたノートに、自分のやっていた数学とまったく違うものが載っているわけです。あるときにはコンピューターの穴あきパンチテープをいっぱい持ってきて。それこそぼくにとっては何が書いてあるか分からないＳＦでした。そういう変なことへの憧憬が強かった。今でもそうかもしれないけれども、分かっちゃうと面白くないですよね。

――ある種分かりづらさを提供するものとして、フィクションがあったという感じですか。

科学の醍醐味が「嘘みたいな本当の話」だとしたら、そうですね。科学というのは物事を説明することだと言われるけれども、僕は分からないことを提供することだと思っているから。普通に生活していたら、「分からないこと」が何もない。世界を分かっている、みたいな感じになるじゃない。

――なぜ物理という分野を選ばれたんですか？

アインシュタインが好きでしたから。小学校でみんながアイドルの写真を貼っているような時に、僕はアインシュタインのポスターを貼っていました。大学に入ってからはリチャード・ファインマンが好きでした。大学院時代、ファインマンが東大に来たことがあったんですが、「脳について研究するとしたらどうするか？」と聞いたら、「脳や意識に興味はないんだけれども、原子や分子レベルから分かるんだったら考えてみたい」という答えでした。またちょうど僕はその頃セルオートマトンを研究していたので、「物理の理論は離散的な時空間世界で考えたほうが面白いんじゃないか」とファインマンに質問したら、ファインマンは「自分もそういうふうに考えたけれども、ある特別な軸の周り以外では相対論的な要請を満たさない。だから難しい」と。物理法則は、ローレンツ変換という、時空間の回転に対する普遍性を法則に保証しないといけないんですが、「その特別な軸に意味が取れないから止めた。特別な軸じゃなくてもうまくいくか」ということでした。それ宿題にされたんですが、まだやってなかったです、そういえば……。

――〈S‐Fマガジン〉でまとめるには少し難しい話ですね（笑）。

でも、ＳＦはそういうハードな物理の理論とつながっているから人気があるのでは。そういうのとつながっていないものは、なにか嘘くさい。ハードな科学とつながっているところにリアリティがある。

――それは単純に科学的な裏付けがあるのが好き、ということですか？　それとも……。

そういう面もありますが、でもちょっと違うところもあると思います。何が違うかというと、物理学者には結構ロマンチックな人も多いと思うんです。いわゆる理論とかシステムに対するロマンチシズムというのがあって、それが組み合わさっていると好きになるんじゃないかな。ギミックだらけでもあまり面白くないじゃないですか。

技術というのはロマンチックなものだと思っています。ロマンチックというと人間が出てきて、人間の間の恋愛問題とか人生観とかいう話になりがちなんだけれども、ハードサイエンスだからロマンチシズムがあるんです。ハードサイエンスが、ＳＦですよ。そう思っているから、もうちょっとそこへの愛が欲しい。

たとえばＡＩ技術というのも良いか悪いかとか、倫理的にどうこういう前に、ＡＩそのものにすごく愛にあふれた技術がある。そこにはロマンがある。科学のロマンチックというのは、倫理とはちょっと違う地平を作っている。それは語られてはいけないロマンなのかもしれない。技術的に進むこととロマンチックなものというのは諸刃の剣で、なかなか難しいことが多いですから。でも、ハードなサイエンスなことへの想いというのは、もっとあってもいいんじゃないかなと僕は思う。それなしではSFは存在しないと思うから。

■みんな意味の病にかかっている

――池上先生はアート関連のお仕事もたくさんされていらっしゃいますね。

2004年頃から、音楽家の渋谷慶一郎さんと一緒にアート活動をやっています。最近の一つがアンドロイド・オペラで、「オルタ」というアンドロイドを使って指揮と歌、演技などをさせています。僕にとってアンドロイドは自律性が重要だと思っているので、思い通りに動くのではなく、こっちの期待を常に裏切る、ストーリーを壊すようなものになるといいと思っています。予測不能なことが入ってこないと面白くない。研究だと「お前のは、ちゃんとストーリーがないから分かりにくい」と言われる。難しいですね。

――アンドロイド・オペラは現状どのくらい自動生成なんですか?

前回の公演では半分半分でした。音がフィードバックされるから。音の大きさで腕の動きも変わるし。でも、大まかなストーリーは決まっている。曲も決まっているものもあれば、フリーセッションも3曲ぐらい入っている。それは自律的に音楽のテンポが作られるもので、100回やったら100回とも違う。2018年のALIFEの国際会議での初演がすごく良かったんです。今イギリスやドイツに招待されています。新しいオペラでは、渋谷さんの音楽で、作家の島田雅彦さん脚本でSF的なアンドロイドのオペラをやる予定です(『Super Angels スーパーエンジェル』新国立劇場、2021年8月)。

――アート活動は研究にも結びつきましたか?

僕がアートをやってみて思ったのは、インスタレーション作品のメンテが大変だということです。すぐ壊れたりしがちです。ところが現実の生命システムはメンテしなくてもOKなわけで、現実世界では、立っていられるだけですごいんです。そういう現実世界のロバストネス（頑強さ）と現実のメッシーさ（乱雑さ）はロボット研究の中心課題でしょうね。そうしたことは、アートをやらなかったらあまり考えなかったかもしれない。

――ちなみに、SFから研究のアイデアを得たりしたことはありますか？

そんなすてきなことがあればいいけれども、あまりないかもしれない。研究は基本的にもっと地味ですよね。SFはいいとこ取りのところもあるから、いきなりジャンプがある。だから、研究に結びつけることはなかなか難しいです。SFは直接には研究には役に立たないよね。

――なるほど。ある種、「地味」な研究をアート活動で補完しているイメージでしょうか。

論文はどうしても窮屈じゃないですか。最近はムービーも付けられるけれども、表現の手段としてはあまりにも制約が多い。最近だとどうデータを処理したか、というようなことしかレフェリーは見ず、どう考えたかはあまり見られない。1回しか起こらないような現象で、論文にはならなくても、アートとしてだと出せるようなものもあります。あと、クラブとかでのパフォーマンスは、コンピューターが壊れて踊れなかったらどうしようと緊張して一回性の恐怖を体験すると、癖になっちゃうだろうなと思います。僕は怖くて毎回いやですが。

それから、アートやインスタレーションはオチがなくてもいい。ハッピーエンドかバッドエンドかというようなオチの付け方は、あまり面白くないような気がしません？　ちなみに、僕は落語に一時定期的に行っていましたが、落語も最後のオチはどうでも良くて、どこで切ってもいい話がうだうだ続くところが面白い。逆に科学はオチがなきゃ、論文になりませんからね。

——現象自体を評価する軸が大事ということですね。

みんな意味の病にかかっているわけです。何も表していないし意味もないってなると、みんな納得しないわけ。僕としてはそれが本当に意味分からなくて。だからSFみたいな、プロージブルな（もっともらしい）ストーリーに対して、ちょっと辟易した時期が僕にはあって。ストーリーに書けないようなものが見たいというのがあるじゃないですか。つねに。砂のざらざら感みたいな、そういうもので世界ができているのに、プロージブルなストーリーとかどうでもいいし。

だから、アートと研究はある意味水と油なんだけれど、一方で僕の論文を読んで僕に会いに来てくれて、一緒にアートをやろうというアーティストも何人もいます。国際会議のALIFEでもアートアワードを創設しました。

また、アート関係者と研究者関係で毎年忘年会を開いていて、SF作家さんもいらっしゃったりします。日本にはパーティー文化やサロン文化がない。ヨーロッパだとすぐにつながっちゃうんです。普段週末のパーティーにアーティストが来たりとかいろいろあったりするんだけれども、日本は割と家族単位でまとまっちゃう。もっと交流があったほうがいいと思うんです。アメリカで、プログラミングを詩のように教える、society for poetic computingというのがあります。僕がALIFE Lab. という一般社団法人をつくったのも、そういう場所が必要だと思ったからですね。もうちょっと、みんな境界なく文化として享受するようなことがあると、世の中もっともっと可笑しなことが生まれると思いますよ。

――そのとおりですね。この連載を通してそのような交流が生まれたらと、我々としても思っております。ありがとうございました。

コラム② SFを実社会へ応用する

福地健太郎

本書に掲載されたインタビューにもあるように、多くの科学者がSFからの影響を語っており、彼らがなす最先端の科学研究の一部は陰に陽に、SF作品がつけた足跡を辿っている。研究者だけでなく、企業の経営者の中からもSFの影響を公言するものが出てきており、最近ではイーロン・マスクやジェフ・ベゾスがこれこれのSF小説を読んでいる、といった記事が経済誌に載ったり、そうした経営者達が見据える未来を理解したい人向けのSF入門書が刊行されたりしている。

経営者のみならず、組織的に事業企画や製品開発にSFを活用しようとする「SFプロトタイピング」と呼ばれる取り組みも広まりつつある。新しい技術や社会状況が生まれたときに、それが人々にどのような影響を及ぼし、また新しい価値を生み出しうるのかをSF的に考え、そのビジョンをストーリーという形で共有しよう、という手法である。この言葉の普及に大きな役割を果たしたのが、米インテル社の元フューチャリストであり、現在は米アリゾナ州立大のCenter for Science and the Imagination で実務教授として活動するブライアン・デイビッド・ジョンソンである。

その著書『インテルの製品開発を支えるSFプロトタイピング』[1]の一節に「未来に関するプロトタイプ、あるいは開発のツールとしてSFを用いるというアイデアは、きわめて新しいものである」[2]とあるが、SFを実社会に役立てようとする試みは決して今に始まったことではない。

たとえばアメリカの宇宙開発を牽引したロケット工学者のヴェルナー・フォン・ブラウンはアメリカへ亡命した直後に、有人宇宙飛行のアイデアを世に広めるべく、火星旅行を題材としたSF小説を書いている。この試みは当初、小説の出版元が見付からなかったため直接には実を結ばなかったが、後にブラウンはウォルト・ディズニーに請われて技術顧問としてディズニー社に参与、建設中だったディズニーランドの宣伝用テレビ映画の製作に携わり、出演まで果たして宇宙計画の啓蒙に務め、当初の目論見を達成することとなった[3]。同様に、SF映画『2001年宇宙の旅』にはNASAの職員がアドバイザーとして参画している他、当時NASA広報部長だったジュリアン・シーアも何らかの形でアドバイスをしていたとされている[4]。SFは宇宙開発のブランディングに欠かせない道具だったのだ。

近年SF活用の取り組みがさかんな中国では2017年に、SF雑誌〈科幻世界〉が編集部を置く四川省成都市が「成都科幻宣言」を打ち出しており、SFと産業との結びつきを重視した政策が自治体レベルで推進されつつある。〈科幻世界〉が存在感を強めるきっかけとなったのは、1999年の大学入学共通試験で「記憶を移植できたら」というテーマの小論文が出題されたときのことで、奇しくも試験の一週間前に発行された〈科幻世界〉に記憶移植をテーマとした作品が掲載されていたため同誌は大きな注目を浴びることとなった。[5]この出来事は、中国人SF作家・宝樹による短篇小説「我らの科幻世界」[6]の中で、フィクションを交えてではあるが、中国の「二十一世紀初頭のSFブームを作った」と述懐されている。なお後年『三体』を著した劉慈欣もこの年に同誌よりデビューしており、その後の躍進は広く知られるところである。さらに2018年には劉の『微紀元』が四川省の共通試験に採用され話題となった。[7]試験問題では「科学」と「幻想」の関係を論じさせており、単にSF小説を題材としたにとどまらず、SF的想像力を含む思考能力を問おうとする出題者の意図を感じる。

日本においては、1970年の大阪万博前後でSFと社会との接点が急増した。日本SF界の「ブルドーザー」としてその最前線を開拓し続けていた小松左京は、

1966年に万博のテーマ専門調査委員に任命され、基本理念の策定に全面協力している。他にも多くのSF作家が、様々なパビリオンへのアイデア提供や取材協力の形で関わっている[8]。

またこの頃から「未来学」が流行し始め、様々な形でSFの持つ未来予測の機能が求められた。雑誌の新年号や新聞の元旦号には「SF作家が三河万歳よろしく、狩り出されて一席うかがい、明るい未来像だの、ピンク色の未来予測といったものを書かされたものであった[9]」。また企業が出すPR誌にその企業の主力製品を絡めた形でのSF短篇が掲載されることが増えた。SFショートショートの名手であった星新一はこの時期ひっぱりだこだったらしく、「あらゆる業種のPR誌から注文が殺到した[10]」そうで、日立・富士ゼロックス・セメダイン・資生堂などといった企業のPR誌に作品を提供している。

そうした作品の多くが科学技術の発展したバラ色の未来を掲げるようなものであった一方で、高度情報化社会における新しい形での監視社会の訪れを警告するものとして近年再評価されている「声の網[11]」は、リクルート社のPR誌〈月刊リクルート〉に1969年から連載されたものだった。万博以降は、公害問題やオイルショックなどの影響から、明るい未来論への批判が強まり終末論が広がっていく。この頃に星新一が発したとされる「未来はもう過去のものだ」という言葉は、こうした状況が背景にあった。[12] 小松左京は「お正月になると二十一世紀の世界を書いてくれ、縁起の悪いことは書いては困る、空想でも何でもよいと言ってくる。空想というのは最悪のことだって予想できるけれども、それはだめだという」と述べている。[13] 事実、小松は1973年に日本の国土が水没する『日本沈没』を発表し一大ブームを巻き起こすが、これはもし日本国民が国土を喪失したら、という最悪の事態を予想するものであった。中国でも同様の事情があるらしく、政府や自治体が推進する「科幻」の活用イメージと、SF作家やファン達の持つイメージとの乖離が、中国人作家の口から語られている。[14]

そもそものSF小説の分野においても、SFは何を描くべきか、という根源的な問いかけは幾度となく繰り返されてきた。1960年代から70年代にかけて活発化した、SFの新しい創作指向を模索する「ニューウェーブ運動」においては、科学技術の発展や宇宙への進出といったありきたりな題材から離れ、現実の人間や社会の在り方を異世界や異常現象などの極端な環境に投射する思考実験的な作品が多く生み出された。ニューウェーブの作家達はそうした傾向の作品を「スペキュラティヴ・フィクション」(思弁的小説)と呼び、旧来のSFと区別した。

端者』［中央公論新社、1998年］所収）。

（10）最相葉月『星新一——一〇〇一話をつくった人』（上・下、新潮文庫、2010年）下巻134ページ。

（11）星新一「声の網」（初出：〈月刊リクルート〉1969年4月号〜1970年3月号。『声の網』［角川文庫、2006年］所収）。

（12）豊田有恒『日本アニメ誕生』（勉誠出版、2020年）161ページ。

（13）長山靖夫『日本SF精神史【完全版】』303〜304ページ。

（14）宮本道人、難波優輝、大澤博隆『SFプロトタイピング——SFからイノベーションを生み出す新戦略』（早川書房、2021年）244ページ。

（15）Anthony Dunne & Fiona Raby "Speculative Everything: Design, Fiction, and Social Dreaming", The MIT Press, 2013. 邦訳：『スペキュラティヴ・デザイン——問題解決から、問題提起へ。——未来を思索するためにデザインができること』（久保田晃弘監修、千葉敏生訳、ビー・エヌ・エヌ新社、2015年）。

（16）同訳書141ページ。

（17）同訳書259ページ。

第7章
情念が実体化するとき

米澤朋子

米澤朋子（よねざわ・ともこ）

関西大学総合情報学部教授。専門はヒューマン－メディアコミュニケーションデザイン。1999年、慶應義塾大学環境情報学部卒業。2001年、慶應義塾大学大学院政策・メディア研究科修士課程修了。2001年から2003年までNTTサイバースペース研究所の研究員、2003年から2011年まで株式会社国際電気通信基礎技術研究所（ATR）の知能ロボティクス研究所（IRC）研究員。2007年、名古屋大学大学院情報科学研究科で情報科学の博士号を取得。2011年より関西大学情報学部准教授、2017年より現職。

■ぬいぐるみというメディア

――まずは、米澤先生が「ぬいぐるみ」という研究テーマに出会われたきっかけについて教えてください。

慶應義塾大学SFCの大学院でメディアアートやヒューマンインタフェースなどを学んでいる時、インターンとしてATR（国際電気通信基礎技術研究所）に入りました。アート＆テクノロジーの部署があり、メディアアートでご飯が食べられるのは素敵だなと思って興味をもったんです。そうしたらそこのボスが「ぬいぐるみを使って何かできない？」ときっかけをくれて。それで、ぬいぐるみの心を音楽で表現するという研究を始めることになりました。「もしぬいぐるみに機嫌があったら」ということを考えながら、たとえば雑に扱われたりしてちょっと機嫌が悪くなったときには、流れる音楽や触られたときの音の反応を変えるといったことをやっていました。

そうしたぬいぐるみの研究から、最終的には「擬人化」というキーワードを見つけました。ぬいぐるみはロボットと違って動かないので、人間がぬいぐるみを自分の感情の容れ物にしたり、ぬいぐるみを通して自分を表現することもできます。また、ぬいぐるみを自分の対話相手に見立てて、〝見えない相手〟をそこに憑依させることもできる。ロボットとは異なる自由度のある媒体として、ぬいぐるみに何ができるかということを考え始めるきっかけになりました。

ぬいぐるみは、それ自体が動いたら確かにファンタジーだと思うんですけど、たとえ動かなくても人間の脳のなかはすでにファンタジー。2011年からは関西大学でVRと擬人化をテーマに研究を行っていますが、そこで見えてきたことは、結局のところ人間は脳のなかで描いているものを何らかのメディアに投影しているだけなので、そのメディア自体があまりに精巧だと投影する余地がなくなってしまうということです。ぬいぐるみというメディアはロボットに比べて投影する余地があるおかげで、人間がさまざまなファンタジーを感じうるものだと考えています。

私はヒューマノイドには興味を持てなかったのですが、それは人間という形を持つリアルなロボットに比べて、やはりぬいぐるみの方が想像の自由度が高いからでしょうね。ぬいぐるみセラピーがあるのも、ぬいぐるみに自分を投影したり、自分を受け入れてくれているかのように感じられることで、人間が癒やされるから。そうした想像の余地をうまく使うことで、ぬいぐるみは非常に可能性のあるメディアになりうると今も思っています。

――現在の研究テーマである「VR」と「擬人化」の2つのメディアの違いや関係性とはどのようなものでしょうか？

研究室では、擬人化メディアを「主体メディア」、VRや音楽のようなメディアを「環境メディア」と呼んでいます。モノに心があるかのように、あるいはキャラクターが何かを考えているかのように振る舞わせるというのが主体メディアの研究。ぬいぐるみもロボットも、テキストチャットエージェントみたいなものも、人間が設計した表現媒体と考えれば主体メディアと呼べるだろうと思っています。

一方で、本当は存在しない環境を人間に想像させるのが環境メディアの研究と考えています。たとえば人は、イライラしているときに激しいロックを聴くと攻撃的な気分になったり、反対に落ち着くような音楽を聴くとトーンダウンしたりします。そうしたメディアは、心の状態や人が見ている世界の感覚を変えるような働きを持っているといえる。脳内は究極のVRというわけです。

この2つのメディアに「人間の感性」を加えて、それらがトライアングルの関係になることでメディアエクスペリエンスが生まれると考えています。主体メディアと人間の感性の間、環境メディアと人間の感性の間に相互作用があることで、想像のなかにあるものが人間のなかでのリアリティを高めていく。そのようなメディアと人の感性の関係性を調べることを現在の研究テーマとしています。

——ぬいぐるみは小さい頃から好きだったのでしょうか？

小さい頃からぬいぐるみは好きでした。物心がついたときには、もう本当に、50㎝くらいの背丈のすごくリアルな女の子のお人形が好きだったのです。いわゆるリカちゃん人形にはあまり興味がないまま、その後、怪獣の形の消しゴムといったかわいいものに興味が移って、そこら辺から動物系にいったのかな。覚えているのは、幼稚園のときに、同級生の男の子と怪獣の消しゴムで遊ぶほうが、いわゆるお人形ごっこよりも楽しかったこと。怪獣の存在は想像がつかないというか、いま目の前にいる生き物ではないので、それがどんなふうに振る舞うかは自由度があったんですね。

幼稚園の終わりぐらいで、ふんわり系の、ゆるキャラ系のようなかわいいぬいぐるみが好きになりました。高校になっても、UFOキャッチャーでかわいいぬいぐるみを見つけると、友達に「取って」と言って取ってもらったりしていましたね。それがすごく気に入って、いまだにずっと大事に取ってあります。

就職しても、ずっとそんな感じです。就職して5～6年してからUFOキャッチャーで取ったぬいぐるみがあり、それを見ながら思いついたのが、「よしよし」となでているときに、なぜ人は癒やされるんだろう？ ということでした。なでたことによるぬいぐるみの動きを勝手に解釈する楽しさ、そこにはモーターでうなずくのとは違うかわいさがあるということを頭の片隅で分析しながらも、必死に「かわいい、かわいい」とやっているような感じです。

——現在はどのようにぬいぐるみに触れていますか？

いまでもキャラクターのぬいぐるみを自分の顔にくっつけて、なりきって（笑）、子どもと一緒に遊んだりします。面白いのが、子どもがまだ小さい時期に、ぬいぐるみを抱っこしながら、日本語じゃない言葉でずっと話しかけているんです。彼女のなかには劇の設定があるみたいで、私の手を舞台にして、その上で遊ばせていて、手をどけたら怒るんです。「それだとこの世界観が違う」と思っているのかもしれない。脳のなかで見えている舞台と、その投影しているキャラクターはセットになっていて、彼女の頭のなかではバーチャルな世界がもっと、より具体的に見えているんだろうなと思います。

■「形のない意思」に惹かれて

――子どもの頃はぬいぐるみ系のフィクションにも触れてきたのでしょうか？

映画『テッド』はかわいくて大好きですが、実は子どもの頃から好きだったのはぬいぐるみ系というよりホラー系でした。自分の根っことして、もう本当に小さいときから、怖くて眠れなくなるとわかっていながら怖い話を見ちゃうんです。

その理由は自分でも最近気がついたのですけれども、私のなかでは最終的に人間に興味があるんだなと。人間が過去に生きて、いろいろな歴史を刻んでいくなかで残してきた手紙だとか、そういうものもひとつの意思の表れで。そうした無形の意思が、また有形になる面白さに私は惹かれるんです。

たとえば「ジリリリリン」と電話がかかってくる、それは「何か訴えたい人がいる」という、その場にいる人たちみんなが共通に持っているイメージが物理世界にアクセスしてくるから。現象そのものというよりは、形のない意思というところにまず興味があります。姿形はないのだけれど、そこに意思がある。それから、自分が強く念じているとか、強く悲しんでいることは、逆に未来の自分を怖がらせる念になるかもしれないと思ったりすることもあって。そのとき考えている何か自分ではないもの、意思みたいなものはすごく怖いし、面白いと思います。

——なるほど、「そこにないはずの意思を感じる」という点で、ぬいぐるみへの関心とも根本の部分でつながっているのでしょうか。

そうだと思います。ぬいぐるみが「投影する余地のあるメディア」だと考えると、過去に持ち主のいたぬいぐるみには、その持ち主のいろいろな感情が投影されていたことになる。他者が使っていたぬいぐるみが、他者に対する間接的な愛情を呼ぶのと同時に、逆に恐怖を生む媒体になるかもしれないというのは、ホラーとつながっている要素だと思います。

このなかで中古のぬいぐるみを持っている人はいますか？　私がいま住んでいるのは結構な田舎ですが、その山奥に古民家カフェが新しくできて、前の住人が置いたままの荷物をバザーで売っていたんです。そこで売られていたコリラックマのぬいぐるみを見たときに、ぬいぐるみを大事にしていた人の存在も感じるし、ぬいぐるみ自身の意思も何か感じるような気がする。だから最初は買おうかどうかと悩んだんですけど、かわいくてしょうがないから結局は買いました。ただそれは、まっさらなぬいぐるみを買うのとは全然違う感情でしたね。

――ホラー系で特に好きだった作品や、記憶に残っている作品はありますか？

小学生の頃に『お昼のワイドショー』の一コーナーでやっていた「あなたの知らない世界」がいちばん怖かったですね。これは短いのに、すごく嫌な後味を残してくれる。シンプルだからこそ怖かったように思います。

怪談では夜の校舎系が特に好きです。夜の校舎は何がいいかって、普段元気にはしゃいでいる子どもたちがいない、あるはずのものがない世界だと思うのです。そのセットアップのなかで、形のない意思が出てくるという設定に惹かれます。

夜の校舎系のゲームでいまだに好きなのが『トワイライトシンドローム』。そんなに怖いものが出てくるわけではないのに、やはり場所の設定が効いていて、昼間いたはずのものがいなくなった恐怖と、出ないはずのものが出てくる恐怖がすばらしかった。

ゲームでは他に、『零～紅い蝶～』が本当に面白かったです。『トワイライトシンドローム』とは世界観がまた全然違うのですが、人が誰もいない和風の美しい空間は、人間の情みたいなものを一番演出してくれる気がしていて。私にとって一番、「恐怖というのは何だろう」と感じさせてくれる世界が、このきれいな和の世界なんだなと思っています。明るいといったら変ですけれども、赤とかオレンジとか、きれいな光とか、ぼんぼりとか、すごくきれいな着物の柄が見えたりするとか、そういうものと、ぼろぼろになった家屋とかただ暗いだけの場所が、すごく対比的なんですよね。拷問と一緒で、拷問をずっと受け続けると拷問を拷問と思わなくなって、もうどうでもいいですよとなってしまうから、昔の拷問はすごい親切にする時間がちゃんとあって、その後また拷問が始まる、というトレーニングセットのようなものだったといいますが、それにすごく似ていて。感性の対比があることによって、すごく気持ちよく、かつ怖い世界になっていると思います。

——学校で教えるなかでも、これらのフィクションを取り上げて説明をすることはあるのでしょうか？

授業で例を挙げるときは、フィクションを取り上げるよりは「怖い」の位置付けをします。たとえば、不気味の谷について話すときに、こんなお化け屋敷があったというような経験を話して、では「機械式のお化け」と「人間のお化け」と「死体」のそれぞれが不気味の谷のどこに位置するか、そういう図を描かせる宿題を出したりとか。死体が怖くない人にとってはどんなプロットになるか、こういうお化け屋敷の設定だったらどう怖いのか、といったことを考えさせていますね。

■テキストの想像力と情念

――いちばん好きなSF作品は何でしょうか?

高校1年生の時に友人が「これ面白いよ」と読ませてくれた、岩本隆雄『星虫』ですね。主人公は宇宙飛行士になりたかった女の子。6歳のときにひとりでトレーニングをしているときに迷子になってしまい、あるおじさんと出会います。そのときに女の子が「自分は真剣に宇宙飛行士になろうと思っている」と言うと、おじさんはそのために何が必要なのかをしっかり説明してくれる。そうして小さい頃から宇宙飛行士になるために努力をしてきた女の子が高校生になったところから物語がスタートします。

ある日、宇宙から降ってきた「星虫」が世界中の人々の額(ひたい)にくっついてしまいます。星虫は額についたままどんどん成長して、鳴いたり動いたりし始めるようになって。しかし虫に取りつかれた人が「怖い」「気持ち悪い」と叫んで拒否反応を示すと、その虫は取れて死んでしまう。だから、みんな早く虫を取りましょうと言われるんですけど、主人公の女の子とクラスの友達の男の子だけは、星虫と共存するために最後の最後まで自分の虫を守り続けることになります。

星虫はどんどん大きくなって、2人の体も覆うようになり、やがて彼女たちは呼吸もほとんどできないような状態になってしまう。2人のところにはこの不思議な生物を確保しようとする人たちがやってくるんですけど、主人公の女の子は「これは生き物なんだ」と要求を拒みます。虫を守り続けた女の子と男の子は、その虫に愛情を感じるようになっていたのです。最終的には額についた虫がサナギから孵(かえ)って2人の体から離れるのですが、それは実は宇宙船の卵だった、というストーリーなんです。

――『星虫』のどんなところに惹かれたのでしょうか?

まずは、宇宙船が生き物だという考え方にものすごく興味を持ちました。その生き物は人間が拒絶したら簡単に取れて死んでしまうような弱い存在ですが、彼らは成長するにつれて、宿主である人間のことを大事に思うようにもなっていく。まるで赤ちゃんを抱っこしている母親がその呼吸のリズムで赤ちゃんが安心していることを知るように、人間も星虫の意図を感じ取ることができるようになる、という描写があるんです。そんな星虫という不思議なパートナーが人間とともに成長していく話なんだなと思うと、すごく面白くて。振り返ってみれば、いま研究でやっている「擬人化」というテーマにも関係がある作品だと思っています。

また『星虫』は、小説だから面白かったと思うんです。もし映画化されたらショックというくらい、小説としての面白さがあります。

――SFに限らず、テキストや小説のほうがよかったと思った作品はありますか？

『リング』は小説と映画の両方を見ましたが、私は小説のほうが面白いと思いました。小説で読むときは、どういう形で幽霊が現れるかといったことを自分の頭のなかでイメージできるから、その人がいちばん楽しめるレベルの怖さで読めるのに、映画では強引にイメージを見せてしまう。「こんなに怖いのは見せてほしくない」とか、「私のイメージではここまで髪は垂れていない」といったところまで映像になってしまって。もちろんそれが楽しいという人もいれば、そうでない人もいると思います。

ほかにも「あっちの世界ゾーン」という怪談サイトが好きで、暇なときによく読んでいました。起こるはずのない物理現象が起きた、といったいろいろな怪談を短いテキストで紹介するサイトで、強引に訴えかけるビジュアルがない分、自由に想像ができるんです。

ただ、映像じゃないと表現できないものは必ずあって。たとえば『シックス・センス』がすごくよかったのは、パッと視界に映るもので違和感を表現していたから。テキストでは表現できない、人の心理に訴える微妙な違和感。たとえば、ドアノブの色が次のカットでは違っていて、それによって異常な状態を示していたりする。そうした深層心理に訴えるような映像のつくり方はすごく好きです。

――ぬいぐるみ、ホラー、テキストメディアといろいろなキーワードが出てきましたが、米澤先生の好きな作品に共通するポイントというのはあるのでしょうか?

やはり「人の情念」への興味が、ホラーを含めあらゆるところにつながってきているような気がします。もう、本当にそこが根っこですね。実は『星虫』に最初に興味を持ったのは、SF的な要素というよりも、主人公が6歳から「宇宙飛行士になりたい」という意思を持ってトレーニングを続けてきた、その情念のところなんです。

情念といえば、湯川秀樹などの伝記も昔からすごく好きでした。現実の話でも、尋常ではない執念で何かをやり遂げたという話が好きで。何かに取り憑かれたようにやるというパワー、その執念のエネルギーに惹かれるのだと思います。

――情念の話でいえば、ロマンスものや少女漫画も読まれてきましたか？

小学校の高学年の時好きだったのは『まんが家マリナ』というコバルト文庫のシリーズです。男の人に見えるくらい背の高いすてきな女の子がいるんですが、その子は男っぽくふるまいながらも、実は自分の実のお兄さんが好きなんです。でもその子は心臓が悪くて、お兄さんはその子の心臓の手術費を得るために、周りの女をたぶらかして殺人を犯してしまう……という話なのですが、そうした人間の執念がすごく面白かった。単純にお金が欲しくて人を殺したみたいなミステリーには興味が持てないのですが、『まんが家マリナ』では妹という実際的に愛することのできない相手のために人を殺したというところが、もうあまりに人間的で。人はここまでのことをしてしまうことがあるんだろうか、と思いましたね。

■SF化する子ども番組

――そのほか、最近の作品で「これは面白かったな」というものがあれば教えてください。

子どもと一緒に子ども番組を見ていると、子どものためのSF的な世界観があるんだなと思います。大人には複雑過ぎてわからないのですが、それがなぜわからないかにすごく興味があります。

たとえば昨年まで放送していた『天才てれびくんYOU』では、子どもたちは電脳の世界で怪獣と戦ったりする。現実世界にいる人間のキャラクターがこの電脳世界に引き込まれて消えてしまって、その世界の敵と戦うために、現実世界の子どもがテレビリモコンを使って戦うという設定なんです。

現実の世界とバーチャルな世界のストーリーをシンクロさせながら見せていくというような番組で、すごく面白いと同時に私には難しくて。大人にとっては2つの世界がリンクしているのがイメージしにくいけれど、子どもにとっては簡単なんだろうなと思いながら見ていました。

――『天才てれびくん』は初期からSFのテイストを取り入れながらチャレンジングな内容をつくっていますよね。たとえばSF作家の草野原々さんは、『天才てれびくん』内で放映された「ジーンダイバー」や「恐竜惑星」に影響を受けたと公言されています。

そうなんですね。ほかにも、いまの技術に基づきながら、少し未来を描いているような子ども番組があるんですよね。たとえば、『キッチン戦隊クックルン』という料理番組にも仮想世界が取り入れられています。料理という普通の行為だけを見せても興味を持てない子どもたち向けに、仮想世界を使うことで興味を持ってもらおうとしているのでしょう。お母さんのお手伝いをしないといけないとか、お母さんがつくる懐かしの味を再現しないと敵にやられてしまうといった内容を盛り込むことで、教育的な内容になっています。

また『オトッペ』という音楽番組があって、DJの女の子が不思議の国に暮らしているんですけど、そこでは音の妖精が生きているんです。たとえば、噴水の音があるところには噴水の音の妖精がいる。そうした世界で、女の子はDJの技術を磨きながら、新しい音を捕まえたりするんです。音というメディアをもっと活かして、VR空間で何かできないかなと思わせてくれるような番組ですね。

これもまたホラーにつながるんですが、音の精という考え方、音自体に魂が宿っているという考え方がすごく面白い。子どもは素直にキャラクターを見てストーリーを楽しんでいると思うんですけど、私はその設定自体に魅力を感じています。

■「生物らしいロボット」へ

——先生にとって、これはSF的なぬいぐるみである、未来に通じるぬいぐるみであると感じられるようなものはありますか。

慶應義塾大学・杉浦裕太さんの、ぬいぐるみの腕に着けることでぬいぐるみが動きだすリング型のIoTデバイス「PINOKY」。あれって寄生だと思うんです。たとえばぬいぐるみに肉が詰まっていて……いえ、人間でもいいのですが、その人が死ぬとウジがたかって死体が動き出す、という怖い話に近い。それから、北海道大学・小野哲雄さんの、ユーザーを理解したエージェントが環境内にあるさまざまなメディアやロボットを移動する「ITACO」もまさに寄生で、すごく未来のぬいぐるみをつくっていると思います。

——寄生！　まさしくホラーですね。

そうなんです。寄生という仕組みがあることが、ロボットの違う側面を生み出すのではないかと思っていて。たとえばロボットが腕を動かしても、そのロボットが意思を持って動かしているのではないと私には見えてしまうのですが、ロボットに対して別の意思を持つ存在が寄生したと捉えたらうまく解釈できると思ったのです。

――ロボットの意思ということについてもう少し伺いたいのですが、米澤さんのなかではロボットの意思を作っているという感じなのか、それとも別にロボットに意思を与えようとは思っていなくて、機械的なリアクションだけでどこまで行けるかやってみようと思っているのか、どちらのほうに重きを置かれているのですか。

私の研究の流れのなかで移り変わっていることだと思うんですけれども、意思を持っていることというのは、いま、すごく大事だと思っています。たとえば最近、高齢者支援のロボットを何種類か作っているのですが、ケアをするときには相手を気遣って、相手の視界に入ったり、触れたりしながら、話しかけます。相手のことを好きだったり、相手がうまく反応しなかったら悲しかったり、やり方を変えるという姿勢を機械的ではなく持たせるには、もっと内部構造として動機をちゃんと設計しなければいけない。相手に対して、礼儀を持ちながらも、すごく一生懸命に誠意を持って接したい、というときに、それは「接しなければいけない」だと絶対できないことなのかなと思っているんです。

システムとして上から与えられたことをただ実行するだけだと、それが実現しないかもしれない。人間の召使ではなくパートナーとして存在するためには、やはりパートナー側にも意思とか気持ちがなければ人間は大事にできません。そういう意味では、内部状態のようなものはすごく大事なのではないかと思っています。

——そういう意思、あるいは情念をロボットに宿すとしたら、マイルストーンとして何を最初に手がけられますか。

もう手がけ始めているトピックであるのですが、ものを欲しいというロボットやエージェント。感情は欲求とか動機が満たされないことで湧き上がってきます。カップの水がこぼれるように、ある閾値を超えたときに動いてしまう仕組みだとか、抑制をする仕組みだとか、そのせめぎ合いみたいなものが本当にロボットのなかに存在すれば、ロボットの苦悩とか情念というものができてくるんじゃないかな。

ただ、それは情念と呼ぶのかどうか、呼ばない人もいるかもしれないけど、では、人の脳のなかで起きているのだってシナプスの電気信号じゃんというふうにも言うことができるので、メディアが違うだけで、同じ形のものがあるのかもしれない。

ロボットの生物的振る舞いについては、最近書いた「生物らしさのあるロボットと人間の融合─生殖と共生の可能性─」〈情報処理〉2020年1月号）のなかで、機械システムにおける「死」や「生殖」ということを妄想的に考えてみました。死ぬということは有限の時間を生きているわけで、私たちは有限の時間のなかで限られたインタラクションを行っている。限られたインタラクションは希少であり、だからこそその時間が楽しいと感じるのかもしれません。ロボット自身が何らかのモチベーションを持ち、自分と同等にものを考えているパートナーであって、かつ生まれ死に、そして生殖するかもしれないという可能性を持っていると、そのロボット自身の、自分と隔たりのある物質的存在というところから、ある大事な、すごく大事なものを共有できる存在になるかもしれない。

さらに、死だけではなくて、成長とか、記憶の仕組みとか、時間的に限られているだけではない仕組みが必要で、そのなかに、単純にインタラクションして死んでいくという有限性を超えて、次につないでいって、その存在がまた違う行動をとっていく契機が生まれる。それによって、希望──希望と一言で言っていいのかどうかわからないのですけれども、単純に「今が希少、今が楽しければいい」ではなくて、その先の希望につながっていく存在とみなせるようになるのではないかと思っています。

第8章

ＳＦは極めて貴重な資源

三宅陽一郎

三宅陽一郎（みやけ・よういちろう）
スクウェア・エニックスAI部ジェネラルマネージャー兼テクノロジー推進部リードAIリサーチャー、スクウェア・エニックスAI＆アーツ・アルケミー取締役兼CTO。1975年生まれ。京都大学で数学を専攻、大阪大学（物理学修士）、東京大学工学系研究科博士課程を経て、2004年よりデジタルゲームにおける人工知能の開発・研究に従事。博士（工学）。2011年にスクウェア・エニックス入社。東京大学生産技術研究所特任教授、立教大学大学院人工知能科学研究科特任教授、九州大学客員教授、東京大学先端科学技術研究センター客員上級研究員。国際ゲーム開発者協会日本ゲームAI専門部会（チェア）、日本デジタルゲーム学会理事、人工知能学会編集委員会副委員長。

■ゲームAIと哲学

――現在の研究内容やお仕事について教えてください。

スクウェア・エニックスでデジタルゲームのＡＩを研究・開発しています。

まず分かりやすいところでいうと、プレーヤーではない、モンスターや人間の姿で生きている敵とか味方とかの頭脳「キャラクターＡＩ」をつくっています。ＡＩ自身が感覚を持って、身体を持って、思考を持って、そして実際に身体を動かす「自律型（オートノマス）ＡＩ」というものです。昔はそういうゲームＡＩがほとんどなかったので、ロボティクスのフレームワークを参照し、発展・汎用化させてゲームに反映してきたのが自分の仕事です。従来のゲームＡＩは瞬間の状況しか認識させていなかったのですが、いろんな状況を記憶させて過去を持たせて、目標を自分で設定させるようにして未来を持たせて、過去から未来に向かう時間の流れをＡＩ自身が行動のなかで感じられるような、そういうＡＩを開発してきました。

それから、ゲーム全体を俯瞰してコントロールする「メタＡＩ」を開発しています。これは、ストーリーを自動生成したり、ダンジョンを自動生成したり、プレーヤーが下手だったらキャラクターＡＩをコントロールして手加減してあげたり、全体の流れをつくるＡＩです。

最近では、このメタAIをゲーム空間だけでなく現実空間にも実装していきたいと考えています。スマートシティの街全体を制御するAIのような構想です。

この「メタAI」「キャラクターAI」と、プレーヤーをナビゲートする「スパーシャルAI」（空間AI）を組み合わせてゲームAIをつくろうというのが、自分の取り組んでいるAIの体系の理論です。

最近はほかに、デバッグをするAIの開発も行っています。これまで人間がやっていたデバッグを肩代わりしてゲーム開発の工程を助けてくれるAIです。

——三宅さんは『人工知能のための哲学塾』という本も書かれていますよね。

ゲームAIの開発基盤として、アカデミックが持っているAI研究の知識だけだと狭いところがあって、そこに哲学研究が必要だと思っているんです。ゲームAI開発では、いわゆる知能の機能的なところだけではなく、CGやアニメーションなどを含めて総合的に仮想生物をつくることになるので、基盤となるようなフレームは極めて広い範囲をカバーしなければいけない。そのために、既存の哲学を再構成して、AIに必要な哲学的基盤をつくるということを考えました。そのなかには西洋哲学も入るし、東洋哲学も入るし、まだ見つけられていない哲学を探求することも入ります。それをセミナーの形で行って本にしたのが『人工知能のための哲学塾』です。特に最近刊行した「未来社会篇」は、ＳＦからインスピレーションを得た部分が多分にあります。

■キャラクターの思いを想像した子供時代

――子供の頃はどんなＳＦに触れられていましたか？

小学校のときに『宇宙戦艦ヤマト』から入って、『銀河鉄道９９９』、『キャプテンハーロック』、『マクロス』、『オーガス』、『１０００年女王』などのＳＦアニメを見て育ちました。特に『ヤマト』に関しては、小学校にいても「ヤマトの甲板のなかはどうなっているか」というような想像と同居している感じでした。僕は一つの作品が好きになると、世界の見え方までそれっぽくなるんです。今でもそうなんだけれども、ずっと無意識に脳内に走っている感じ。

当時はテレビの電波が悪すぎて何が起こっているのか分からなかったり、いつ放映されるか知らなかったりして、アニメはどれもシリーズ全部は見られなかったんですが、断片的に見たなかから自分で物語を考えるのが好きでした。これとこれの間の話がきっとあるはずだ、みたいに毎晩眠る前にひたすら考えていました。「僕が思うヤマトストーリー」というのがあったんですよ。劇場版のレコードの音楽を聴きながらライナーノーツを読んで、きっとこういうストーリーかなと考えたり。自分の『銀河鉄道999』をルーズリーフに書いて、今で言う二次創作的なことをしていました。

ちなみに、大人になってから全部を見たり、古いアニメ雑誌を買って知識を補完したりして、「違うなぁ」「僕が考えていたストーリーの方が面白かった」なんて感じることもあります。アニメは飛び飛びに見たほうが楽しいです。6話ぐらいから見て、6→2→9ぐらいがいいですね。そしたら、全部考えられるじゃないですか。1話から見ると、間を考えられない。最終話は見ると「がっかり、こんな閉じ方をするなんて」となることもあるから、最終回だけは最後に見ます。

——ゲームは小学校の頃から好きでしたか？

すごい好きでした。当時は自分がゲーム開発者になるとは思っていなかったですけれども。『ゼビウス』から入って、『スターフォース』、『スーパースターフォース』、『水晶の龍(ドラゴン)』、

『スターソルジャー』といったSFゲームが好きでした。あとは『ゼルダの伝説』、『謎の村雨城』、『メトロイド』、『ドラゴンクエスト』シリーズの1・2・3、『イース』などRPGも好きで、小学校では〝ドラクエクラブ〟を作っていました。

当時はそこまでたくさんのソフトを買わなかったから、〈ファミ通〉とかの雑誌を見て、こういうゲームなのかなと想像しながらストーリーを書いたりしていました。「僕のスターフォース」「僕のゼルダ」があるので、そっちがむしろ記憶に残っています。やらなかったゲームのストーリーのほうを、いっぱい持っているかもしれない。

プレイしている最中も、画面の向こうに何があるのか勝手に想像していました。昔のゲームは表現力が足りない分、アクションやシューティングという操作に重点が置かれていてストーリーが弱かった。いろいろなキャラが何の説明もなく出てくるんです。だから、この人はつらいことがあったんだろうな、なぜ化け物になってしまったんだ、なぜいま戦っているんだ、このアルファベットにどんな意味があるのか、森の葉の一枚にも、その世界の出来事や歴史、世界観が反映されているのだろう、と想像していました。とにかく画面の向こうにストーリーがあると、1ドットに意味があると思ってやっていたんです。キャラクターはきっと何か考えているはずだと、僕としては思い込んでいるんですよね。あの人たちは何か考えて動いているんだと。まさか乱数で動いているとは思っていないですから。何か思いがあってこっちへ来るんだろうな、みたいな。

――その感覚は、キャラクターAIを開発する今のお仕事に繋がっているんでしょうか。

はい。ドット絵、8ビットでも、それが実際に考えていると、子供としては思い込んでいるわけですよ。こいつはこんなことを考えているはずだとか、電源を切っている間のやつらは何をしているのかとか、そう思ってやってきた感覚がずっと残っている。だから逆に「乱数です」と言われてもよく分からない。乱数なはずがないでしょ、と。彼らは知能を持っている、という思い込みがなかなか抜けなくて。

「もし、そうなっていないんだったら、そうなるべきじゃないですか。キャラクターが知能を持っていないなら、キャラクターに知能を与えないといけない。それは自分がしないといけない。そもそも自分がつくるというより、キャラクターが知能を持つのがあたりまえで、知能がなくていいと思う方が違和感がある。乱数で動かしてはいけない。いや動いていない。ゲームのキャラクターはみんな知能を持っているはずで、ゲーム世界でちゃんと暮らせる人のはずだ」という感覚ですね。

――なるほど、三宅さんが小さい頃から持っていらっしゃった情熱が伝わってきました！

「こうやりたい」というより、「こうあって当然でしょ」という。「みんなどうしてそんな別の世界線に入っちゃったの？」みたいな。「ファミコンの頃から彼らは自分で考えていたのに、どこかで世界が分岐しちゃっていて、これをちゃんと元の世界線に戻さないといけない。「みんなこっちの世界線に戻ってきて」という感じです。すいません。

■ＳＦは最適なリファレンス

――ＳＦ小説を読まれるようになったのはいつ頃でしょうか？

小学校の頃に星新一さんのショートショートを１００１作、たぶん全部出ていたと思うので、読めるのは全部読んだかな。『声の網』などの長篇や、星さんのお父さんを描いた伝記『人民は弱し　官吏は強し』も読みました。最初は先生が国語の時間に「きまぐれロボット」を面白いと紹介してくれて、家に帰ったら父が星さんの本を何冊か持っていたことから始まったと思います。それからは、父が仕事帰りに買ってきてくれたり、自分で古本屋をめぐったりしていました。

早川のSFを読み始めたのは中2くらいからです。アイザック・アシモフの「ファウンデーション」シリーズや『神々自身』、アルフレッド・ベスター『虎よ、虎よ!』、オースン・スコット・カード『エンダーのゲーム』、アーシュラ・K・ル・グィン『風の十二方位』……。その当時、スタニスワフ・レム『ソラリスの陽のもとに』を貸してくれた友達もいました。

中学から高校にかけては、太宰治、ヘッセ、ドストエフスキー、カミュ、ジッド、ゲーテなど、純文学もよく読んでいました。それと、木田元先生の『現象学』、デカルトの『精神指導の規則』『方法序説』『哲学原理』など哲学の本も好きでした。あとは精神医学雑誌を斜め読みしたり、数学者になろうと思って数学の本を読んだりしていました。

漫画だと麻宮騎亜先生の『サイレントメビウス』。きれいなネオンの街が出てくるような近未来ものが好きなんです。あとは高河ゆん先生の『アーシアン』ですね。

——特に好きなSF作家はいますか?

アシモフが好きです。ファウンデーションものとロボットものからは色々なビジョンをもらいました。ロボットものは人間以外のものをつくり出して社会をよくしましょうと言っていて、ファウンデーションものは人間の英知を結集して社会をよくしましょうと言っていて、それが最後は融合していく。社会をＡＩに託すのか、ＡＩ抜きで自分たちの社会をコントロールするのか、この議論は現代でもされていて、なかなか終結しない。ところが、これをシミュレーションしてみればいいじゃない、というのがＳＦのいいところで、このまま何千年経ったらどうなるのかの結論を出してくれる。

名作といわれるＳＦには、現代で考えなければいけないテーマを壮大なスケールで展開して、もう一回、今の自分が生きている現実に返してくれるところがあると思います。

――三宅さんは「ＡＩ×ＳＦプロジェクト」のメンバーでもありますが、そうした活動を通じてＳＦの分析に取り組まれている理由も、いまおっしゃったようなところにあるのでしょうか？

その通りです。ＳＦの分析から得られることはたくさんあります。僕の仕事は、６本足のモンスターや羽が４つある龍など、現実に存在しない生き物の知能をつくる仕事です。ほかと似ていない仕事ですけれども、じゃあ、何に一番似ているかというと、ＳＦに似ているんですよね。こういう技術で、こういう場所で、こういう身体だと、こういう知能ができますとか、実際にこういう知能をつくったら、こういう感じになるんだというのが、SFに全部書かれていたりするので、重宝しています。

SFは最適なリファレンス、極めて貴重な資源です。ただ、みんな自分が好きな何かにこだわってしまうところがあるので、そこはAI×SFプロジェクトが目指しているように、全SF、全アニメ、全映画を網羅的に調査する必要があると思っています。こんな切り口のAIのつくり方があるんだ、というのを発見するのはいろんな人をインスパイアするだろうし、そういった意味で、人間が想像してきたAIを分類してまとめるのは、実はAI研究の一つの切り口だと思います。

■「近未来の世界に至るパーツをつくる」意識でゲームAIの世界へ

――ゲーム業界に入った経緯を教えてください。

ゲーム業界に行こうと考えたのは博士課程のときです。大学の学部の頃は数学のゼミに所属して数学や理論物理を研究して、修士課程では加速器で粒子をぶつけて中性子のエネルギースペクトルを見る実験物理をして、博士課程では超伝導を電気系統に導入する研究をして、どれもゲームとは異なる研究をしていました。

でも、修士課程の頃に『ファイナルファンタジー』シリーズをずっとやっていて、すごい感動して。それと、大学の研究とは別に数学も自分なりに継続していたんですが、そこで、人工生命的なＡＩをつくれるんじゃないか、と思えた瞬間があったんです。人工知能学会の大会に個人で申し込んで勝手に発表しました。そこで、工学と哲学をミックスしたような発想から、自分なりの人工生命の理論やデモをつくって、同時に植物の３Ｄモデルをアルゴリズムから自動生成するプログラムもつくって、いろんなゲーム会社に見せに行って、結果としてロボットゲームに強いゲーム会社に２００４年に入社しました。

――職業選択に影響を与えたＳＦなどはありますか？

エンタメの仕事をしたいと思ったのは、安倍吉俊さんの『灰羽連盟』を見たからです。エンタメでこれぐらい深い作品がつくれるんだなと。エンディングがうまくいっているアニメは僕はほとんどないと思っているんですが、『灰羽連盟』はそれを覆した作品です。自分が勝手に想像していたストーリーよりも面白かった。僕は昨年まで人工知能学会誌の編集委員として、表紙の絵を誰に依頼するか考える担当をしていたのですが、安倍さんに依頼したこともありました。

それから『メガゾーン23』。ＡＩと街が融合して、未来の都市が築かれて、そのなかで人が生活している、みたいな作品が自分の原動力になっています。自分がゲームＡＩをつくっている根底にあるのは、そういう近未来の世界に至る何かのパーツをつくっているという意識なんですよね。

あとは『マクロスプラス』。シャロン・アップルは初音ミクの先駆けのような存在で、人間の脳にいい音楽を自分でつくるんだけれども、実はプロデューサーの元歌手の女の子の感性をハッキングして使っているという。未来的なビジョンがあったので、『マクロスプラス』は業界へ入る前に影響を受けた作品です。ああいうＡＲアイドルはＳＦでもいまだにあまり描かれていませんよね。

もっとさかのぼると『キャプテンハーロック』。レバーを引いたらコンピューターに意識がアップロードされるとか、ＡＩが女の子にハーモニカを吹いてあげるとか、人とＡＩが酒を酌み交わすとか、僕の琴線に触れるようなＡＩのビジョンがありました。

――ゲーム産業に入ってからのお話を伺いたいです。

２００４年から２０１１年まで、最初に勤めたゲーム会社に研究者として在籍していました。当時はゲームにＡＩが一般的ではなかった時代で、日本語の文献もほぼゼロ。社内で「ＡＩは要りますか」と言ったら「要りません」と言われます。「パス検索（ゲーム内で目的地点までの経路を計算によって求める手法）を入れませんか」と言ったら、「勝手に歩いたら困るだろ」と言われて。昔のゲームキャラクターは決められた固定パスを動いていたので、安全なんですよね。パス検索は状況によって無限に近い異なるパスを見つけてくるから、どうやってデバッグするんだと言われて、デバッグはできないですと言って。

そんなわけでみんな僕に何をやらせていいか分からないから、「とりあえず汎用的なゲームＡＩのライブラリー（どのようなゲームでも使用できる人工知能プログラム）をつくってよ」という話になりました。それで研究していくと、ゲームＡＩはゲームデザインと密接に結びついていて、ゲームＡＩを研究するためにはゲームデザインを研究しなければいけない、と分かったのですが、デジタルゲームはゲームデザインが全部ブラックボックスになっているから、極めて研究しにくい。「そうだ、ボードゲームだ」と思って、市民会館のボードゲームのコミュニティーにいきなり行ってボードゲームを教えてもらったんです。社内でもそういうサークルをつくって、会社からも予算をもらって、たくさんの人で大量のボードゲームを遊びました。その頃はデジタルゲームも研究としてプレイしていて、プレイステーションからスーパーファミコンまで、ＡＩと関連しそうなゲームをひたすら集めてやっていました。

――ゲーム開発者の方とコミュニケーションを取る際に、ＳＦの話をしたりはしますか？

しますか。ゲーム開発者はエンジニアじゃない人のほうが多いんです。だから「『スター・ウォーズ』のＲ２‐Ｄ２みたいなサポートをしてくれるＡＩというのを今回は入れたいんだけれども、どんなＡＩだとできますか」といった感じでＳＦがリファレンスになって相談が来るときがありますね。

――ゲーム業界に入ってからはどのようなＳＦに触れてきましたか？

神林長平作品を集中的に読んで、影響を受けました。当時のゲームはＡＩが入っていないから、ＡＩのイメージをどこかで自分でつくらないといけなかったんですね。そういうときに『雪風』シリーズからインスピレーションを受けたり、ある時期は神林さんの描くＡＩに支えられてきました。神林作品はプログラムを読んでいるような気持ちになるんです。アセンブラ言語を読んでいるような。本当に一行一行、コマンドみたいな感じ。文章がファンクショナルなのです。読んでいて、とても気持ちがいい。

それからアニメーションの『ゼーガペイン』に大きな影響を受けました。この作品は、量子化された人間の存在意義を問う作品で、生命・仮想・人工知能を含む森羅万象の実存的意味が追求されています。終盤に、仮想生命であっても生命は唯一無二であることを説かれるくだりがあり、そこに量子空間の雪の下の一輪の花を見て「色即是空、空即是色」という言葉が出てきます。身体を失った人間たち、情報になってしまった人間にも存在の根を持ち尊厳があることが説かれます。このような量子コンピューター、人工知能、哲学が一体となった『ゼーガペイン』に感動したんです。倫理観や生命観、仮想生命と肉体の関係とか、ちょうど自分がＡＩで考えていることを表現していて、しかも自分よりちょっと先を行っている感覚があった。当時は語れる相手もいなくて、見て終わりだったんだけれども、Twitter がブームになったときに、これだと思って『ゼーガペイン』のことをつぶやいたんです。そうしたら「自分も好きなんだよ」というファンがいっぱい出てきて、休日ごとに『ゼーガペイン』討論会を開いて、復刻運動をして Blu-ray の販売に繋がったりもしました（「ゼーガペイン Togetter」で検索すると、僕のツイートのまとめが出てくるはずです）。今でもまだまだ議論し尽くせていない感覚があって、奇跡的な作品だなと思っています。

■AIに優しく

――三宅さんはたくさんのSFに触れられていると思いますが、なかでも特に専門家の立場から見て興味深いAI描写があった作品はありますか？

まずは『未来の二つの顔』ですね。AIが人間を認識できるかという話と、AIが人間の痛みを分かるのかという話が同時進行するんですが、これを1979年に書いたジェイムズ・P・ホーガンは凄い。今の色々なシンポジウムで語られていることよりも先見的で、僕のなかではAIものとして一番優れた小説かなと思っています。

それから、『サイバーフォーミュラ』はインスピレーションの源になりますね。主人公は子どもの頃からAI搭載のF1マシンに乗っていて、一緒に成長するんです。そして最後はもはや主人公は運転しないという。「人間とAIの協調」というのは言葉としてはよく使われるんですけれども、じゃあ実際にどう協調するのよ、というのをひたすら100話近くで突き詰めたのが『サイバーフォーミュラ』です。AIと人間の色々な関係が『サイバーフォーミュラ』のなかでは描かれていて、これはいま時代が追いついたので一番見るべきアニメですね。

――AIと人間の関係は、これからどうなっていくと良いと思いますか？

ＡＩも住みやすい世界をつくらないといけないと思っています。そもそも、ＡＩにもうちょっと優しくしてよと思うんです。たとえば、ゲーム内をキャラクターが歩く状況を開発している時に移動の難しい地形の問題が起こると、「キャラクターＡＩを賢くしよう」というアプローチもありますが、でも僕は「マップのそこの岩をどける」というアプローチもあるのでは、と思います。

現実も同じで、ＡＩと一緒に暮らしたいんだったら、街のほうを変える必要がある。今の渋谷にＡＩが住めるかというと、絶対に住めない。都会の複雑な喧騒のなかでは、蹴られて終わり。

僕はシド・ミードが描く近未来都市に住みたいんです。彼の描く空間はＡＩにとっても優しそうだと思えます。シド・ミード展のパンフレットにも寄稿させていただいて協力したくらい、シド・ミードが好きなんです。あれは幾何学的過ぎるでしょ、と言われたりもしますが、あの人工的な曲線は、ＡＩから見ると住みやすいはずです。僕もＡＩも現代の雑踏のなかにいるより、シド・ミードの世界にいたほうが呼吸が楽なような気がする。

――ゲームAI研究の視点はそういうところにまで繋がっていくんですね。

ゲーム開発だと、大学のAI研究と違って、キャラクターのモデル、骨格、運動までを一流のアーティストがつくってくれます。たとえば関節を何百も付けてくれるし、物理シミュレーションまで入れてくれる。80年代・90年代にAIが培ってきた技術が、実はゲームのなかで息づいていて、AI技術一大博覧会みたいになっています。それらはもちろんゲームのためにつくっているんだけれども、僕から見ると、AIのためにつくってくれているように感じます。仮想とはいえ空間のなかの人工知能を考える場としてゲームは非常にすぐれています。

■SFはいろんな知能の形を見せてくれる

――今日のインタビューでは三宅さんのAIへの深い思いが感じられて興味深かったんですけれども、その根っこはどこにあるのでしょうか？

それは、たぶん僕が人間をうまくやれていない感覚にあると思います。昔から、普通の子どものような振る舞いができなくて、自分という人間を後ろから見ているような感じでした。あまり欲求もないんです。あるいは自分の欲求をよくわかっていない。若い頃は自分も欲求を持てるのかなと思って、いろいろと頑張ってみたんだけれども、うまくいかなかった。今でも人間に対する違和感があって、ちょっと大げさな表現で言うと、ほかの惑星から来たような感覚があるんです。僕は人間と違うのかな、欲求はどこから来るんだろう、じゃあ、欲求が生まれるメカニズムをＡＩにつくったら分かるんじゃないか、みたいな感じです。

なんでクマはサケを取りたがるのかとか、生物の原理にも興味があります。ＡＩだけじゃなくて、知能の形に興味があるわけですね。僕には知能の形がうまく実装されていない気がする。そうすると、なぜそうなのかを知りたいんですよね。つまり、知能の形は何が原因でどういうふうに形成されて、どういう仕組みで動いているのかと。

――なるほど、それは先ほどお話しされていた「ＳＦの分析から得られること」と繋がる話ですね。

はい。SFはいろんな知能の形を見せてくれます。たとえば『雪風』なら、惑星に飛ばされた人たちが持つ欲求とか、ジャム星人が持っているよく分からない欲求とか、雪風が持っている欲求とか。だから、僕はSFをヒントとして読む部分もあるんだけれども、SFが色々な知能の形を見せてくれること自体をうれしく感じます。「ソラリスの海」のようなよく分からないやつもいるんだ、そうか、こんな形もあるのなら、自分も普通だから別にいいよね、みたいな、そんな気持ちになるんです。

AIという学問は、人間を中心に考えているので、動物や虫など、人間以外の生物の話をほとんどしないんですよ。人工生命のほうはむしろ人間以外の生命をテーマにするんですけれども、AI研究は極めて人間中心主義なんですよね。ダートマス会議で、1956年にそういう宣言がされていて、その宣言文には「人間の知能を模倣する」ものとして人工知能がある、と書かれています。人間の知能を規範に考えようとする人間中心主義が、ちょっとウッとくる感じがします。今は見直されつつあるけれども。

つまり、人間が中心ではなくて、たとえば宇宙に200種類も300種類も知能があるとして、たまたま人間はこの形になっているだけだったんだということを納得したいんですね。今はそういう異星人を見つけていないから、人間がただポツンと知能の形としてあるだけ。もちろん動物や植物も知能ではあるんですけれども、地球産じゃない知能を見てみたい。突飛なものであればあるほどいい。たまたま僕は人間という生物だからこう見えているにすぎないんだ、という風にどんどん人間の知能を相対化していけたら良いなと思っています。

――今日のインタビューで、三宅さんはずっとSFとともに人生を歩まれてきたことがよく分かりました。

そうですね。現代のゲームづくりは複雑で、途中で落ち込んだりする時期もあるんだけれども、そもそも自分は何をつくりたいんだっけ、と思ったときには、自分の好きなものを見返したりします。『ヤマト』だったり『ハーロック』だったり『マクロスプラス』を見返す。そうそう、自分はこういう世界を目指していたんだという。

SFにもろに影響を受けていて、そこから全く逸脱していない。子どもの頃も、アニメの雰囲気のなかで生きているところがあったわけです。「僕はいつか第一艦橋に乗るんだ」と思って育ったので、「あれ、僕は普通に高校へ行くんだ」「あれ、ガミラスはまだ来ないのか」みたいな感じでそのまま大人になって、「ああ、僕は第一艦橋に乗れないんだ」とだんだん分かってくるわけです。でも、分かっていても、分からない。今でも分かっていない。「僕はいつか第一艦橋に乗る」と今でも思っていて。自分はいつかあの世界に行くんだと思っている。近未来的な世界で、すごいストーリーのなかで生きるんだ、みたいな。それが頭のなかから抜けない。

ＡＩをつくっている間は、そんな気持ちになるんですよね。ベクトルがそっちに向かっているから。ＡＩをつくることは、この延長線上のはるか向こうの遠くかもしれないけれども、ＳＦが見せてくれた近未来に通じているんだと思っています。

第9章
ディストピアに学ぶこと

保江かな子

保江かな子（やすえ・かなこ）
JAXA（国立研究開発法人宇宙航空研究開発機構）航空技術部門航空機ライフサイクルイノベーションハブエアモビリティデジタル設計技術チーム長。大学院博士課程修了後、JAXA 入構。数値シミュレーションを軸に、航空機を用いた飛行試験等の研究を担当。その後、航空技術部門事業推進部にて事業企画・運営を担当するなかで、Future Blue Sky プロジェクトを企画・立案。現在、航空技術部門航空機ライフサイクルイノベーションハブにて次世代回転翼機に関する研究開発およびマネージメントに従事。

■航空機の特性を計算する

――最初に、保江さんのこれまでのキャリアと現在の研究内容について教えてください。

大学のときから数値流体力学を専門にしています。博士課程では、スーパーコンピュータを使って航空機の空気力学的な特性を調べる研究を行いました。航空機の周りにある空気の流れがどうなっていて、その流れによって航空機にどういう力がかかるかを見るために、CFD（Computational Fluid Dynamics）と呼ばれる手法を使ってシミュレーションをするというものです。シミュレーションでは実際の流体現象をモデル化した方程式を解くのですが、その精度をよりよくするための高次精度数値計算手法の研究開発をしていました。

――JAXAに入ってからはどのようなお仕事をされてきたのでしょうか？

JAXAに入ってからは、実験とCFDの融合に関する研究をしてきました。航空機の空気力学的な特性を予測するうえで、大きく分けて3つのやり方があります。1つ目は、飛行試験。実際に飛行機を飛ばして、その飛行機にどういう力がかかっているかを調べる方法です。2つ目は、地上試験。風洞試験設備を使って航空機の模型に風を当てることで、その空力的な特性を調べる方法になります。そして3つ目が私が大学時代から行っていたCFDで、数値シミュレーションを用いる方法です。

JAXAに入った当初は、風洞試験とCFDを組み合わせることで、それぞれの長所を活かしながらより精度のいい予測手法を考えるということをやっていました。ほかにも、飛行試験でよりよい計測結果を得るためのデータ分析に関する研究も行ってきました。

■『スター・ウォーズ』と美しい機体

——保江さんの過去のインタビューで、航空の世界を目指したきっかけに映画『スター・ウォーズ』の存在があったと語られているのを拝見しました。子どもの頃からSFは好きだったのでしょうか?

そうですね。父親がすごいSF好きで、その影響もあって物心ついたときから父と一緒にSF映画を観ていました。テレビで金曜ロードショーを観たり、借りてきたビデオを一緒に観たり。

最初に触れたSFは、『スター・ウォーズ』や『ターミネーター』、『E.T.』『猿の惑星』『2001年宇宙の旅』『バック・トゥ・ザ・フューチャー』など。振り返ってみると、父の影響で、宇宙モノ、あるいは宇宙人モノがほとんどでした。地球以外の宇宙に地球人のような人がいるのかも、ということに興味津々でしたし、地球以外の星というところに興味をもちまくりの子どもでした。どうやったら他の星に行けるのか、どうやったら他の星に光が届くのかと、父にしきりに聞いていた覚えがあります。宇宙や航空の世界に魅力を感じたのは、この頃からだったと思います。

そのなかでも記憶に残っているのは、やっぱり『スター・ウォーズ』ですね。『エピソード4/新たなる希望』『エピソード5/帝国の逆襲』『エピソード6/ジェダイの帰還』の3部作を子どもの頃から観ていましたし、『エピソード1/ファントム・メナス』がちょうど高校生のときに公開されたので、父と一緒に観に行ったこともあります。

この世界を目指したもうひとつのきっかけは『アルマゲドン』で、高校生のときに3回くらい映画館に観に行った記憶があります。映画のなかではNASAの話も出てきますし、宇宙に憧れをもった大きなきっかけになっています。

――『アルマゲドン』は、具体的にどんなところが響いたのでしょうか?

登場人物のひとりにNASAの総司令官の方がいるんですが、ちょっと足を悪くされていて、本当は宇宙に行きたいんだけれど自分は行けない。その総司令官の指揮命令のやり方がすごくかっこいいな、と思ったのが大きいですね。いわゆる主役級の人たちが宇宙に行って地球を救う、という部分ももちろんかっこいいのですが、それを陰で支える重要な役柄の人というのが必ずいる。そういうところに憧れをもったり、素晴らしいなと思うことが私は多いかもしれません。

——宇宙のなかでも、特に航空の領域に興味をもつようになったきっかけはありましたか？

航空や空力の分野に行きたいと思うようになったきっかけは、『スター・ウォーズ エピソード1／ファントム・メナス』で最初に出てきた「ナブー・ロイヤル・スターシップ」という、パドメ・アミダラが乗るシュッとした機体。あれを最初に見たときに、もう超絶かっこいいなと思って。ああいう機体を実際に設計して、飛んだり、宇宙に行ったりできたらすごいなと思うようになりました。ナブー・ロイヤル・スターシップはいまでもいちばん好きな機体です。

ほかには「Xウイング」も好きですし、「ミレニアム・ファルコン」も乗ってみたい。アナキン・スカイウォーカーがポッドレースで乗っていた2本の紐でつながっている機体も印象的で、「実際にあれをつくるとしたらどうやるんだろう?」と頭を悩ませたのを覚えています。『スター・ウォーズ』以外では、『ウルトラセブン』に出てくる「ウルトラホーク1号」がめちゃくちゃ好きです。3機が合体した姿も好きですし、飛行機が3つに分離する、というのがあまりにも衝撃的でした。

――ナブー・ロイヤル・スターシップがかっこいいというのは、流体力学的な観点から見た魅力があるのでしょうか。

ナブー・ロイヤル・スターシップが流体力学的にも素晴らしいというのは、高校生のときにはまったく意識していなかったです。その見た目の美しさに圧倒された部分が大きいと思いますね。

ただ、いまになってわかったことなのですが、人が見て美しいと思う形状は、空力的にも優れた性能をもつことが多いんです。実際にナブー・ロイヤル・スターシップは、「SR-71(愛称:ブラックバード)」と呼ばれる世界最速の偵察機に形がそっくりで。航空の世界に入って勉強するなかで、このナブー・ロイヤル・スターシップにそっくりな機体を知り、しかもそれが、最大速度マッハ３も出すことができるすごく速い機体じゃん！　と。見た目が美しいと思うものは、やはり性能面でも優れているんだなと、すごく納得した覚えがあります。

他にも、たとえば私の専門のＣＦＤでは、空力を計算するときに機体の周りに計算格子というものを貼るんですね。機体をとり囲む空間を小さな区画で分割して、その一つひとつの区画のなかで流体の方程式を解くことで、全体で見たときの空気の流れや航空機にかかる力を導くことができるんです。この計算格子も、見た目が美しくなると非常に安定した計算ができたりする。反対に、見た目がきれいじゃない格子をつくると、うまく計算ができないことが多いんです。これらのことを知って以降は、性能が求められる色々な場面で「人が見て美しいと思うか」を重視するようになったと思います。

■ＳＦとしての『ＯＮＥ ＰＩＥＣＥ』

――これまで挙げていただいた作品は海外のものが多いですが、国内の作品で好きだったものはありますか？

宇宙モノではないんですけど、『風の谷のナウシカ』には相当影響を受けていると思います。映画はもちろん、原作漫画も好きでよく読んでいて。すごく深い話なので、昔読んだときにはなかなか理解できなかったようなところも、いまになって本当に素晴らしいなと思ったり。長期にわたって影響を受けている作品だと思います。

——具体的に『ナウシカ』からはどんな影響を受けてきたのでしょうか。

昔と最近とでまた違ったりもするんですが、最初に影響を受けたのは、どちらかというと飛ぶもの。たとえば、「メーヴェ」に乗れたらいいなと思ったり。宮崎駿さんがよく描くような、2枚の翼をもつ複葉機もすごく好きです。

一方、最近になってあらためて考えるのは、「腐海」に象徴される環境の話ですね。人間が生活をするなかで地球を汚してしまって、それを地球の虫や植物たちが浄化している。それは、いま実際の世の中で起きている環境汚染にもつながる話だと思います。人間が科学技術によっていろんなものをつくり出すのは素晴らしいと思う一方で、効率的なものを求めるが故に、それが悪影響を及ぼしているという側面を『ナウシカ』はものすごく深く描いているように思います。
航空の研究をやっている身として、そのあたりをしっかり考えたうえで研究開発をしなければいけないと感じます。『ナウシカ』がこうした問題を何十年も前から描いていたのはすごいなと思いますし、私たちもよく考えないといけないんじゃないかと、最近すごく思うところがあります。

――こうしたSFの話をJAXAの同僚の方たちとすることはありますか？

そうですね、『ナウシカ』が好きな人はけっこう多いですし、『スター・ウォーズ』の話をすることもあります。

――JAXAのみなさんで『スター・ウォーズ』の話をするときは、具体的にはどういった話題になるのでしょうか？

JAXAだから、といった特別な話題ではなく、単純に好きなキャラクターの話だったり、新しい映画が公開されたときにはその感想だったり。あとは、未来のアイデアを出し合ったりするときに、「『スター・ウォーズ』でいうとこういうやつ」とか、「『ナウシカ』のあのシーンの」といった感じで、イメージを共有するために作品を例に出すこともあります。

映画以外でよく例に出すのは、漫画の『ONE PIECE』。あれも本当に自由な発想でいろんなものが出てくるので、「『ONE PIECE』でいうとこういうやつで……」と私はよく話すんですけど、周りにあまり『ONE PIECE』好きがいないので理解してもらえないことも多いです(笑)。

――『ONE PIECE』では、どんな例を?

作品のなかで、「ダンスパウダー」という雨を降らせる粉が出てきます。それを撒くと砂漠地帯にも雨が降るようになるのですが、その影響で他の地域では雨が降らなくなり、干ばつになってしまうというエピソードがあるんです。

先ほどの『ナウシカ』の話にも通じますが、一方では良かれと思って新しいものを生み出したとしても、他方では良くない影響が起きる可能性がある。実際の技術開発をするうえでも、別のところで悪い影響が出ていないかを常に気にしなければいけないということを考えるために、よくダンスパウダーの話を出したりします。

――社会的・環境的なテーマをSFが担うことは多いですが、『ONE PIECE』がその役割を果たしているというのはすごくいまっぽい話です。日本でいちばん広く読まれているSF漫画は、実は『ONE PIECE』かもしれないと。漫画作品ではほかにどんなものに触れてきましたか？

『火の鳥』『ブッダ』『ブラック・ジャック』などの手塚治虫作品、『スラムダンク』『幽遊白書』『NARUTO』などのジャンプ作品、矢沢あいさんの漫画、『BANANA FISH』『BASARA』『ちびまる子ちゃん』などが好きでした。ほかには『ときめきトゥナイト』を読んで、テレポーテーションにものすごく興味をもちましたね。

■こういう世界にはしたくない

――保江さんは2018年に、JAXAが考える未来の空と、そこで暮らす人々のストーリーを描いたウェブサイト「Future Blue Sky」の企画・制作を担当されています。このプロジェクトが生まれた背景について教えてください。

このプロジェクトは、もともとは組織的な課題から出発しています。研究開発の仕事をしていると、これまでやってきた技術の延長線上で研究テーマを考えてしまうことが多くなってしまいます。もちろんそれが常に悪いわけではないんですけど、どうしても新しい観点を取り入れるのが難しくなってしまう。世の中がどんどん変化していくなか、その変化に対応しうる観点をもって、新しい研究テーマを設定してもいいんじゃないかという想いがありました。

そんなことを考えていたときに、デザイン思考というものを知って。これまでは航空機をつくるメーカーやエアラインの方々と議論をしながら研究開発の方向性を考えることが多かったのですが、デザイン思考が大事にする「ユーザー視点」を取り入れることで、これまでとは違った観点から研究テーマを設定できるんじゃないかと思い、プロジェクトを始めることになりました。

プロジェクトでは「空をどう使っていくか?」という議論から出発し、現在は主に移動のために使われている空をもっと幅広く活用できれば、という観点でJAXAには何ができるかを考えていきました。議論をするなかで生まれた新しい空の活用方法について、いろんな人に意見を伺って、「そういう未来はいいね」とか「これはちょっと違うね」といった声をいただきながら、ＪＡＸＡとして今後取り組んでいけるような研究テーマを模索していきました。アウトプットとしては「Future Blue Sky」と題したウェブサイトをつくり、「Liveable Cities」「Seamless Mobility」「Sustainable Resources」「Safe Communities」という4つのシナリオを公開しています。

――「Future Blue Sky」を制作する過程で、影響を受けたＳＦはありましたか？

先ほどお話しした『ＯＮＥ ＰＩＥＣＥ』のダンスパウダーの話は、まさに「Future Blue Sky」でどういう未来があったらいいかを考えるときに議論をしたポイントです。プロジェクトの過程では空を活用するためのいろんなアイデアが出てくるわけですが、「それはダンスパウダー的な感じになってしまわないかな？」と。そうやって技術がもちうるネガティブな側面も議論しながらアイデアを検討していきました。

もうひとつ、大きなインスピレーションになったのは映画『フィフス・エレメント』。あの作品のなかで、ヒロインのミラ・ジョヴォヴィッチが高層ビルから飛び降りるシーンがあるじゃないですか。そこはものすごい高いビルが集まっていて、空飛ぶ車がビュンビュン飛んでいるような世界で。あのシーンを見たときに思ったのは、空が全然見えないということ。

反面教師じゃないですが、「将来こういう世界にはあまり住みたくないな」と思ったんですね。

「Future Blue Sky」をつくるときに、「青い空をきれいに保ったまま空を活用すること」を念頭に置いていたのは、たぶん『フィフス・エレメント』で見たあの映像がものすごい心に残っていたからなんですよね。あれが本当に人にとっていい世界なのか、ということを考えさせるシーンだと思います。

ただ技術単体を描くのではなく、その技術を人間の環境のなかに入れたときにどういう影響が起こり得るかをいろんな視点で見られるのは、まさにフィクションのいいところ。それを見たうえで、「こういう未来だったらつくりたいな」「こういう未来はつくりたくないな」と認識・判断したりするひとつのツールとして、最近はフィクションを捉えています。

――「Future Blue Sky」では、すぐに実現可能なアイデアというよりも、空飛ぶモビリティ「スカイバス」や空の農園「スカイファーム」といったSF的なアイデアが掲載されています。プロジェクトがSF方向にドライブしたのは、やはりご自身の経験が影響していたのでしょうか。

意識してＳＦの経験をもとにしたわけではないですね。ただ、デザインコンサルティングファームのＩＤＥＯさんと一緒に進めるなかで、彼らと最初に話したときに感銘を受けた言葉があって。「『どういう未来になりそうか』という予測を立てて、それに対して必要な技術や研究を考えるよりも、『自分たちがどういう未来にしたいか』を考えて、その未来をつくっていくことが大事ですよね」と。

この言葉をもとに、自分たちとしてどういう世の中をつくりたいかを考えたときに、それまでに観てきたＳＦ映画や漫画のシーンを思い浮かべることになりました。「『フィフス・エレメント』みたいな世界は自分としてはちょっと違うかな」とか、「『スター・ウォーズ』のこういう世界はいいかもしれない」とか。そのように未来をイメージするなかで、それまで見てきたＳＦ作品が指針になっていったのだと思います。

――『フィフス・エレメント』や『ONE PIECE』のダンスパウダーを反面教師のように使っているのはすごく面白いと思いました。プロジェクトのなかで、ほかにも世界観の面で反面教師にしたような作品はありましたか？

『ブレードランナー』や『マトリックス』のような世界観も、ちょっと違うかなと思います。

ああいう世界にどっぷり浸かりたいかというと、私がつくりたい未来とは違うかなと。

とはいえ、こうした世界観が好きな人もいる。そういう意味では、「自分がどういう未来をつくりたいか」を考えるだけでなく、「他の人たちがどういう未来をつくりたいか」を知るうえでもSFは参考になると思います。『マトリックス』のような世界に住みたいという人も、住みたくないという人も、いろんな人たちの声を聞くことで、その根底にある価値観や、未来を考えるための本質的なところを見出すことができるのではないでしょうか。

「Future Blue Sky」を公開したときにも、JAXAの人たちからは「こういうコンセプトはいままでなかったよね」「このアイデアはいいよね」といったポジティブな声も、「このシナリオを実現するのは無理じゃないの」といったネガティブな声も聞くことができました。そうやって未来のシナリオを共有し、賛否両論を聞けたことによって、それぞれが考える「つくりたい未来」を知るきっかけになったように思います。


――「Future Blue Sky」のお話を伺って、ネガティブなイメージが非常に大事であるということを感じました。好きなビジョンや美しいビジョンだけじゃなく、「こういうふうになってはいけない」「この世界は直感的に良くない」というビジョンもまた、未来を考えるうえでは重要なのだなと。

確かに、そこはすごく重要だと思います。たとえばいま、技術によって環境問題をはじめとしたいろいろな社会問題が出てきていますが、その原因となってしまった技術を最初につくった人たちは決して問題を起こそうと思ってつくったわけではなくて。技術をつくってから、それが悪影響も及ぼしてしまうことに気づくということが、やっぱり多いと思うんです。それは、「こういう問題が起こり得るかもしれない」という想像に至らないとどうしても避けられない。

とはいえ、研究開発をしている人たちだけでは、どうしても想像力に限界があると思うんです。そういうときに、その技術を題材にしたSF作品をつくってみて、技術のポジティブな面はもちろん、あらゆるネガティブな面も考えてみる。そして、技術を世に出したときに人がどんな反応をするかを思い描いてみるというのは、すごく大事なことだと思います。

■「情緒あるテクノロジー」を描く

——保江さんは「Future Blue Sky」をつくるにあたって、「科学の情緒性」を大事にするようにしたと過去のインタビューで語られています。「情緒性」というキーワードはどんなところから生まれたのでしょうか?

このプロジェクトは、2つの問いをJAXAのいろんな人たちに尋ねるところから始まりました。ひとつは「もしいま、好きなこと、わくわくすることを何でもしていいと言われたら何をしたいですか?」、もうひとつは「現状の社会課題のなかで、何が気になっていますか?」というものです。

航空の世界はこれまで効率性を追い求めることが多かったのですが、ひとつ目のテーマである「わくわくすること」について話を聞くなかで、「人が使うものなら、もっと親しみや温かみを感じるもの、もっと情緒的なものであってもいいよね」というコメントがあって。その言葉が、私たちプロジェクトメンバーにとって心に残るものになりました。

特にテクノロジーは、かっこいいところもある反面、人を寄せ付けないようなところもある。「クール」という言葉がよく当てはまると思うんですが、それは冷たいものとして受け取られてしまう場合もあると思います。なので、ただクールなだけのテクノロジーではなく、温かみがあるテクノロジーがあってもいいよね、と話しながらプロジェクトを進めていくことになりました。

――そうした温かみのあるテクノロジーを考えるためには、従来の航空技術のイメージや常識を取り払う必要もあったと思うのですが、プロジェクトではどんなところに苦労しましたか？

どうしても研究者は実現性に目が行きがちなので、新しいアイデアを出しても、「こういう技術がないから無理だよね」と結論づけてしまうことも多い。そうしたバイアスを外すのが難しかったですね。もちろん構想を実現するための方法を考えるのが研究者の仕事ではありますが、途方もないアイデアと出会うと、そこで議論が終わってしまうんです。そうならないために、「いまは技術的な実現性は考えない時間！」といった感じで、ある意味自分たちを洗脳するようにしながらアイデアを出すようにしていました。

――保江さんご自身も「Future Blue Sky」を経て、無意識にもっていた思考の制限みたいなものを外してこられたと思います。プロジェクトを終えてご自身の研究に戻ったときに、以前とは違った視点で考えられるようになったということはありますか？

そうですね。以前までは「どういう未来をつくりたいか」という観点で自分の研究をやったことはなかったのですが、「Future Blue Sky」を通して、ここで得られた思考方法をどう自分の研究に落とし込めるかは意識するようになったと思います。私が専門としているCFDは本当に基礎的な研究なので、技術の先にいる人を想像するのは難しいことではあるのですが、それでも「自分の研究テーマだったらどういう未来にしたいかな」と意識して考えるようになりましたね。

また学生や後輩を指導するときにも、彼ら・彼女ら自身がどんな将来をつくりたくて、そのために何が必要なのかを考えたうえで研究テーマを設定してもらえたら、と思いながらアドバイスをするようにしています。

――先ほど「Future Blue Sky」を進めるうえで〝反面教師〟となった作品を挙げていただきましたが、温かみのあるサイエンスやテクノロジーを思い描くにあたってインスピレーションになったフィクションはありましたか?

プロジェクトのなかで議論をしたわけではありませんが、いまひとつ思い出したのは映画『A.I.』。少年型ロボットのハーレイ・ジョエル・オスメントが最後、ある意味人として人生を終えるというエンディングだったかと思います。映画自体は人工知能という技術を人間社会のなかに入れたらどうなるかをかなりネガティブなかたちで描いていますが、ロボットが人の温かみを知っていくという側面をもつ作品でもあるのかなと思っています。

――最後に、保江さんが「こんなSF作品があったら見てみたい」と思うものがあればぜひ教えてください。今後の宇宙・航空技術をより情緒的なものにするために、あったらいいと思う技術や設定はありますか？

情緒や温かみを感じるのがどういうときかといえば、私にとっては子どもの成長を見守るときなんですよね。私には息子がいますが、憎たらしいときは超憎たらしい（笑）。でも、そうした面があるからこそ、よりかわいく思えるというか。完璧じゃないからこそ、その対象に対してすごく温かみを感じるということがあるような気がしています。

同じようにこれからのテクノロジーが世に出るときにも、初めから完璧なわけではなく、ちょっとずつ成長していくような技術やモノがあってもいいと思っています。言い換えれば、生命体のような技術というものがあったら見てみたい。人工知能はそれに近いと思いつつ、生命のような技術がうまく調和した世界が一体どんなもので、どんなネガティブな側面をもちうるのかは私の想像力だとなかなかイメージできないところがあるので。そうした世界を描いたＳＦ作品があったら、これからのテクノロジーを考えるうえでヒントをもらえるんじゃないかなと思っています。

第10章 イノベーションの練習問題

坂村　健

坂村　健（さかむら・けん）
1951年生まれ。東京大学名誉教授。INIAD 東洋大学情報連携学部 cHUB（学術実業連携機構）機構長。工学博士。IEEE ライフフェロー。専攻はコンピューター・アーキテクチャー（電脳建築学）。1984年にリアルタイムＯＳ「TRON」の開発プロジェクトを立ち上げ、現在に至るまで牽引してきた。ITU150 アワード受賞の他、2006年に日本学士院賞、2003年に紫綬褒章を受章。2023年に IEEE 井深大コンシューマー・テクノロジー賞、同年に IEEE マイルストーンを授与される。『DX とは何か』（KADOKAWA）など著書多数。

■ＴＲＯＮプロジェクトから電脳都市まで

――まず、坂村さんのこれまでの研究内容を教えてください。

「ＴＲＯＮ（The Real-time Operating system Nucleus）」という組込み用のリアルタイムＯＳ（オペレーティングシステム）の研究開発を１９８４年からやっています。ＴＲＯＮのＯＳはたとえば、電子楽器、プリンター、車のエンジンのコントロール、カーナビゲーションシステムなど、あらゆるところに入っています。携帯電話の電波コントロールをしているところにも入っています。Ｈ‐ⅡＡロケットや、ＪＡＸＡが打ち上げているはやぶさ、はやぶさ２も全部ＴＲＯＮです。リアルタイム処理が要求されるところにたくさん使われていて、おそらく組込み用のリアルタイムＯＳでは世界でもっとも使われているＯＳだと思います。

また、今で言うＩｏＴ（モノのインターネット）のコンセプトを最初に提唱したということも認められていて、電気通信に関する国連機関のＩＴＵ（国際電気通信連合）からＴＲＯＮでいただいたＩＴＵ１５０周年記念賞の選定理由にも含まれています。当時は「超機能分散システム」と言っていましたが、大型コンピューター全盛の時代に、小さいものがネットワークを組んで大型コンピューターを超える未来を、プロジェクト当初よりゴールとして描いていました。最近は「スマートハウス」「スマートビルディング」「スマートシティ」といったキーワードがよく使われますが、TRONでは80年代から「電脳住宅」「電脳ビルディング」「電脳都市」という言葉を使って、その原型を作っていました。実社会に適用される前から未来をデザインしようと考えていたのです。たとえば、TRON電脳住宅というのを六本木に1989年に作ったのですが、333平方メートルの建物にノード数百で住宅設備を制御する世界初のコンピューター住宅で、世界中から人が見に来てくれました。

電脳住宅がどういうものだったか具体例をいくつか紹介すると、すべての窓は独立で開くようになっておりセンサーで外の風の流れを知り新鮮な空気を部屋中に入れるとか、トイレも今で言うウォシュレットの原型に尿の分析装置や血圧計を付けて、病院のドクターのコンピューターに連絡が行き、健康管理ができるシステムにしました。それから、台所。レシピをコンピューターで覚え、たとえば「塩10ミリグラム」って言うと、自動で量られてそれが出てくる。そういったものを作りました。

電脳住宅以外にも色々研究していました。スマホがまだない時代に、全部TRONで携帯電話を作って、Wi-Fiを電話に入れたり。ウェアラブルコンピューター的なものがまだない時代に、身体につけて心拍を測ったりして、異常があったら知らせてくれるヘルスケアシステムを作ったり。僕は研究者なので、それが製品化にどう影響したかは分かりませんが、そういうことを企業と連携したりもしながら進めていました。
TRONはオープンアーキテクチャーの元祖とも言われます。最終的なターゲットがIoTだったこともあり、「オープン」がTRONの基本哲学なのです。たとえば、ある会社がエアコンとサーキュレーターを作っているとして、自分たちの製品同士はネットワークで繋がっても、どういう信号を送ったら電源が入るのかとか、どうやったら切れるのかとか、そういうようなことを公開（オープンに）しないと、他の会社が作ったものとは連携できない。そこをオープンにして、みんな繋がるようにしようというのを、プロジェクト開始当初から提唱していました。

——最近ではどのような研究をされていらっしゃいますか。

2015年に東京大学を定年退官したのですが、そのときにちょうど、東洋大学から新学部を作ってほしいという話が来ました。赤羽台団地跡に広い土地が確保できるので、そこに新しく私が構想する校舎を作っていい、と。しかも学部長として教員も新たに雇っていいということで、依頼を受けました。それで、19000平方メートルにIoTデバイスが5000個という、建物すべてがIoTの教材になるビルを設計したんです。なかの間取りやインテリアデザイン、家具のデザインまで、僕自身が行っています。ちなみに外側の建築デザインは、友人の隈研吾さんです。情報技術を中心に様々な分野と連携してイノベーションを実現するということで、「情報連携学部」――英語の Information Networking for Innovation And Design で「ＩＮＩＡＤ（イニアド）」と名付けました。

ここの校舎のなかでは、スマホで電気をつけたり消したり、ウェアラブルコンピューターでロッカーを開けたり、顔認証でドアを開けたりといったことが可能です。ただ、ポイントは個々の応用ではなく、そういった制御のインターフェースをプログラムから簡単に利用できるという全体環境です。学生がプログラムして自分のロッカーを音声で開けたり、さまざまなチャレンジができるようになっています。また、ＡＲ技術を用いた案内システムがあります。壁にプロジェクターが何百個と付いていまして、来訪者の行き先に応じて矢印やピンが自動的に投射される仕組みになっています。障害をお持ちの方と一緒に行っている研究もあり、たとえば車椅子に自動運転をさせて、建物のある場所からある場所に移動する――さらに、途中のドアは車椅子に搭載したＡＩからの指示で開くといった連携応用を試みています。

■肩書きは「電脳建築家」

――坂村さんがやってこられたことは、ある意味、ＳＦ作家が小説で表現するようなことを、違うやり方で行ったもののように感じます。「電脳建築家」という肩書きもまさにＳＦですよね。グレッグ・イーガンの小説のなかに出てきても全くおかしくないように感じます。

ありがとうございます。最高の褒め言葉ですね。僕はクリエーターでビジョナリーで研究者で、先ほどご紹介したプロジェクトも、ＳＦと言えばＳＦです。小説でもないしアニメでもないけれど。

――坂村さんはイーガンの短篇集『しあわせの理由』の巻末解説も書かれていらっしゃいますよね。坂村さんの研究を知らずに読んでいたイーガン読者のなかには、最後に「電脳建築家」という肩書きの方が出てきて、びっくりする方もいそうです。

イーガンは異常に好きです。『しあわせの理由』『ディアスポラ』『ひとりっ子』『ゼンデギ』『白熱光』……どれも好きです。ＡＩ研究でのエシックスとか、哲学的・倫理的な話も出てくる。今、世界では電子工学やコンピューターの研究開発におけるエシックスが重視されていますが、日本ではそういうものは流行っていません。イーガンはそこを描いているので、他の作家とは一線を画す。どこが好きかは、本の解説で書いているので、そこを見ていただければと思います。

——坂村さんはSF業界と関わりが深いというか、様々な形でコミュニケーションを取られているイメージがあるのですが、具体的にこれまでどのように関わっていらっしゃいましたか。

1985年に出した拙著『電脳都市　SFと未来コンピューター』では、コンピューターの未来像をSFから考えました。また、新聞、雑誌の書評でSFをできる限り取り上げ、様々なSF小説の解説も書いてきました。たとえば日本人作家では、菅浩江さんの『プレシャス・ライアー』の文庫版解説を書きました。それから、アーサー・C・クラークやジェイムズ・P・ホーガンが亡くなったときに〈S-Fマガジン〉の追悼特集に寄稿したりといった形です。

SF大会にも、むかし講演で呼ばれて行ったことがあります。実行委員会の人とも仲良くさせていただきました。野田昌宏さんとお話したこともありました。あの方は、飛んでるS

Fファンのなかでも特に飛んでましたね。あの頃は、本当に面白かったです。SFを読んでいる人、今よりもずっと少なかったと思うのですが、だからこそ逆に「めちゃめちゃ感」があって良かった。

——TRONは、映画の『トロン』を見て名前を付けられたという説がありますが、これは正しいのでしょうか。

うーん。公式には The Real-time Operating system Nucleus の頭文字を取ったからです。ただ、映画の『トロン』も見ていましたので、脳みそのなかでの無意識の連鎖で出てきたのかも——というと「自意識」とか「自覚」とは何かとかいう話になってしまうかもですが……。

■ホーガン、クラーク、レム、ヴィンジからの影響

——坂村さんの研究観・技術開発観に影響を与えたSFはありますか。

研究者になってから影響を受けたものだと、たくさんあります。

まず、ジェイムズ・P・ホーガン。『未来の二つの顔』は、最後まで喋らないAIが初めて出てきたSFだと思います。これが翻訳されたとき、ホーガンは僕の周りでブームになりました。ホーガンはDECという会社のセールスマンだったんです。当時MITの人工知能研究所にDECのシステムがあって、ホーガンはマーヴィン・ミンスキーの研究室とかに出入りしていた。だから、最前線の研究現場のリアルな描写が多いんです。私がMITで見たシーンを彷彿とさせるものが多く、当時としてそういうのは少なかったのですごく興奮しますよね。あと、TRONプロジェクトを始めた頃に出た『断絶への航海』。これは、オープンムーブメントのユートピアみたいなものです。『星を継ぐもの』も好きです。

アーサー・C・クラークの『幼年期の終り』では、個体として強いオーバーロードと、集合知性のオーバーマインドの違いを考えさせられました。スタニスワフ・レムの『無敵』も、小さいものが集まって大きいものと戦う、みたいなイメージが、先ほど話したような僕の分散志向のビジョンに合いました。日本では『砂漠の惑星』というタイトルで翻訳されていますが、『無敵』のほうがいいと思います。群や分散こそが「無敵」であることを表しているので。そこにはすごく影響を受けました。

あと、僕に影響を与えているものといえば、ヴァーナー・ヴィンジ。『マイクロチップの魔術師』なんて、原書で読んだ覚えがある。あれは、解説をマーヴィン・ミンスキーが書いていたりして、それだけでもいいなと思ったんですが。コンピューターを使いこなす力でスーパーマンになれるような話の原点で、やはりワクワクしますよね。ヴィンジでは、クラウドソーシングの概念が出てきたりして今の時代をまさに予見したような『レインボーズ・エンド』もすごいと思いました。

――ご自身の研究に関係するような、群やネットワークのモチーフが登場するSFに、早くから注目されていたんですね。

そうです。こうやって仕事にまつわるSFを全部説明していると、時間がなくなるんだけど……。

――たくさん挙げていただいて大丈夫です。

好きなものだけあといくつか挙げるんだったら、天文学者でもあるフレッド・ホイルの『アンドロメダのA』（ジョン・エリオットとの共著）は、もう、すごいなって思いました。

アマチュア無線をやっていた自分が特に興味を持つ内容だったんです。宇宙のかなたから電波で送られてきたものが、実はコンピューターの設計図だったなんて、もう、興奮しまくりでしたね。生命の本質は情報にあるのかとか、そういうことも考えました。

ロバート・A・ハインラインの『月は無慈悲な夜の女王』も、電子頭脳と人間が助け合う関係を描いていて、抽象的な意味で、自分の研究の良いゴールになり得るなと思いました。

ラリイ・ニーヴンとジェリイ・パーネルの『忠誠の誓い』も、プライバシーとパブリックの話や、技術と民主主義の関係が描かれていて、なかなかいいSFです。

あと、アイザック・アシモフの短篇「死せる過去」は、プライバシーに関して深く考えるきっかけになるものでした。

ニール・スティーヴンスンの『ダイヤモンド・エイジ』もいいですね。ベンチャーマインドを感じさせる記述がたくさん出てくる。平等とか、知的所有権の重要性とか、IPベースの封建主義とか、深く読んだほうがいいですよ、これは特に今の時代の日本では。

——大学のなかで、そういったSFを人に薦めたりはしていらっしゃいますか。

昔から講義のなかで「SF読め」なんてギャーギャーわめいています。大学1年生に

「『しあわせの理由』をまず読め」「『ゼンデギ』を読まないようじゃ僕のところじゃ働けない」「『レインボーズ・エンド』は基礎ですよ」とか、ちょっと普通の先生じゃ言わないようなことを言っているので、「変な先生出てきた」みたいに思われてるかもしれないけど。

今世界が抱えているような問題に対しての、そこらへんの人が思い付かないような解答があるよっていうような意味で、SFは重要だと言っています。必ずそうなるってことじゃなくて、思考実験として、世界がこれからどうなっていったらいいのか、どうなったら怖いかのサジェスチョンがあるので。

——実際にコミュニケーションツールとして役に立っているSFはありますか。

人とコミュニケーションを取る共通言語になってきているのは、日本だったら『攻殻機動隊』なんじゃないですか。さっき話題に出したホーガン、ヴィンジ、イーガンは特殊っていえば特殊で。相手が読んでいれば話が早いんだけど、読んだっていう人にはあんまり出会わない。『攻殻機動隊』は漫画、映画、テレビアニメとバージョンがいろいろあって、どれか見たっていう人は結構いる。僕は最近のシリーズまで含めて全部見ていますが。『攻殻機動隊』は、最初の士郎正宗さんの原作からいろんな人たちがイマジネーションを膨らませていったっていうのがすごいと思います。僕は「群」に未来を見るので。イノベーションは、いろんな人がいろんなトライをしないと出てこない。そういう意味で『攻殻機動隊』は未来をちょっと覗けているのかな、という気がします。

■むかしは論文のほうがSFみたいだった

――最初にSFに触れたきっかけは何でしたか。

小学校の頃、全35巻ある講談社の『少年少女世界科学冒険全集』を父が持ってきて「面白いぞ、これ」って。読んだら、もう面白くて。それが最初じゃないかな。「このジャンルは面白い」と思ったら、もうその後はずっと……。中学校の頃から、銀背のハヤカワ・SF・シリーズや創元SF文庫を読んでいたと思います。他のものは読まないぐらいで、偏った人間が育ちました。

〈S-Fマガジン〉も結構読んでましたよ。ただ、雑誌で連載を読むよりも単行本になったほうが好きだった。なんでかっていうと、僕、本を読みだすと最後まで一息に読むタイプの悪い人間なんで、そんなに待っていられない。「はい、この続きは1カ月後」なんていうの、嫌じゃない？　そういうのって。

――漫画や映像など、小説以外のＳＦにも触れられたりはしましたか。

そのジャンルでいこうって決めたら、全部いくっていう感じでやるから、文字だけってのはないんです。その頃からマルチメディア展開はありましたから、漫画だろうと映画だろうとテレビだろうと、関係あると思ったらとにかく全部目を通していました。

――そういうなかで、職業選択に影響を与えたＳＦはありますか。

子どもの頃に、職業の選択とか進路決定とか、人生に影響を与えたＳＦはあるかって言われると、はっきり言って、ないです。もちろん、エンターテインメントとしては面白かったです。ヴェルヌの『海底二万里』『地底旅行』だって面白いし、テレビドラマの『プリズナーNo.６』だって面白いと思った。けれど、こういうＳＦを読んでコンピューターを研究しようとは思わなかったです。

なぜかというと、僕が生まれたのは１９５１年、世界最初の商用コンピューターの一号機

UNIVAC－1が販売された年です。僕は現実のコンピューターの目まぐるしい発展を見ていて、そっちからの影響をものすごく受けました。SFを読むよりも、実際の研究、論文のほうがSFみたいだったんです。そういう意味では、生成系AIが登場後の今と似ています。今も毎週毎週ぶっ飛んだニュースが出て、昨日できなかったことも今日はできてる。それだけで興奮してしまって、現実だけで十分「センス・オブ・ワンダー」です。SFとして咀嚼し「その先」を見せてくれる作品が出てくるのは、しばらく待たないと無理かもしれませんね。

とにかく物心ついたときから、電子工学やコンピューターが大好きだったんで、そういう文献を10代の頃から読んでいて、プロの研究者になろうと思っていた。だから、SFは楽しみでやっていたという、そういうことです。

——大人になってからはSFに影響を受けたけれど、子どもの頃はそうではなかったというのは面白いですね。

もちろん、研究者になってもSFを読むのをやめずにずっと読み続けたのは子どもの頃からSFが好きだったからなので、つながってはいるんですけどね。

■ＳＦと技術の関係

──坂村さんの幼少期の頃のＳＦと今のＳＦで、どこが大きく違っていると思われますか？

それを話すには、ＳＦと技術の関係の話を先に少しだけしたいと思います。ＳＦにはいろいろ重要な機能がありますが、その一つは未来の予見だと僕は考えています。通信の世界では、クラークの通信衛星のような、ＳＦ作家が現実の技術をリードする例があったり、原子力潜水艦も、技術の原理は違うんだけども、技術の成果としてはヴェルヌの『海底二万里』で予見されていた、といったような例があります。

しかし残念なことに、昔のＳＦは未来のコンピューターの形を予見できなかったと僕は捉えています。

先ほどの自分の研究紹介でも話した通り、コンピューター業界は、集中から分散という大きな流れで動いていて、ネットワークの重要性が問われてきました。しかしＰＣが普及する前は、ＳＦでのコンピューターの形というのはだいたい基本、中央の巨大なマザーコンピューターばかりだったんです。さらに言えば、ＯＳやアプリを意識することが重要になるという予見もなかったと思います。コンピューターの発展期の初期の段階で、そういうSFを読んだことはありません。

ＡＩについても、最初期の段階のSFで描かれてきた電子頭脳というのは単なる機械式人間型知能への願望にすぎません。現実のＡＩの技術について、その原理を予見できなかったのは当然として、その成果に関しても予見したとは言えないと、僕は思っています。

技術の予見だけでなく、その社会や文化への影響・問題点の予見ということについても、むかしのSFに描かれるＡＩは、古典的な奴隷や先住民のイメージを読みかえた程度にとどまっていて、今起こっている現実とはだいぶ違っていたのではないかと思います。１８１８年の『フランケンシュタイン』から、ずっと同じ問題を引きずっているんです。ＡＩが自己保全とか独立したいとか、そういうのは生物的で人間的な発想であり、「飛んだ」考えではないなと思っていました。

ただ、これについては大逆転みたいなことも感じていて、『未来の二つの顔』の喋らない非人間型ＡＩのリアリティというのは、ここにきて違うかなという感じになってきた。

実際に生成系ＡＩが出てきたら、大規模言語モデル（ＬＬＭ）がベースだったわけです。で、デビュー当初から野尻抱介さんの『ふわふわの泉』のファーストコンタクトみたいに、インターネット経由で世界中の人とのチャット――お喋りを始めた。

ＡＩは機械的に構築される人間と異質の知性というのがリアルだ、と思っていたら、インターネットの中の大量の言語データを学んだ――いわば、人類の文化の集大成だったという……。『未来の二つの顔』の冒頭の工事現場のシーンをＣｈａｔＧＰＴに聞いてみたら「軌道爆破は危険ですからやめましょう」という、しごく常識的な回答をしてきて、ガッカリです。

工事現場のシーンが意識していたような「フレーム問題」とかも過去の話になってしまった。私はＡＩについてはＩｏＴに使いたいとずっとウォッチしていた立場だから気楽ですが、古くからＡＩを研究していた人はショックでしょう。

しかし、逆にリアリティが出てきたのが『鉄腕アトム』ですね。最近、アニメ化した『ＰＬＵＴＯ』を見たのですが、「夫婦として日常生活を送るロボット」とか、昔マンガで読んだ時は「人間と違うＡＩ」がリアルと思っていたので、そんなの「古臭い」と感じたのが、今だと「人間の共感能力を学ぶために行動学習してるんだな」とか、そういう研究もそのうち本当にやるかもしれないと思うほどリアルに感じられるようになった。手塚先生もすごいけど、リメイクの時にそういう当時でも「古臭い」と感じるような設定をそのまま残した浦沢先生もすごいと思います。このあたりになってくると、ＳＦが一周回って、実は未来を予見していたと言えるかもしれません。

ちなみに自分が『電脳都市』を書いたときは、良い題材になるSFを探すのに苦労しました。いまこれの続篇を書くとしたら、楽に書けると思います。良いSFがその後たくさん出てきましたから。

２０００年代以降のSFでは、技術の原理的な部分でSFが先行することはないにしても、研究の成果やその社会の運用を反映した作品が出てきているんじゃないかと思います。インターネットが普及して情報がすぐ作家に伝わるようになったので。特に最近のSF作家は最先端の問題意識をキャッチアップしようとしている感じがして、そういうのはものすごくいいなと。インターネットがなかったときっていうのは、研究の最先端とSFの距離は遠かったんじゃないかと思います。SFが間に合わないの。

——１０００年先の話を書くときのジャンプはわりとやりやすいのですが、もっと手前へのジャンプはとても難しいんですよね。

その通りです。遠未来を描くのであれば、社会常識など色々なものが変わっているからやりやすいのだと思いますが、20～30年後を描くのは結構難しいんです。ちなみにアーサー・C・クラークの『未来のプロフィル』には、近未来の科学技術の予測はできても、社会の予測は難しいということが書かれています。最近では技術の進展のスピードも上がってきていますし、今でも何年後に何が起こるのかは分かりません。

——最近のSFでは、どのような作品を良いと思われましたか。

たとえば長谷敏司さんの『BEATLESS』は、AIの行動の責任を取るために人間とAIがコンビになる話で、AIの法的責任というテーマがありました。藤井太洋さんの『公正的戦闘規範』では、AIドローンによるテロへの心配が描かれている。山本弘さんの『アイの物語』も良かったですね。小川一水さんの『復活の地』はコンピューターと関係ないですが、珍しく真面目で優秀な官僚が主人公の作品で好きです。この仕事をしていると、多くの官僚の方とお会いしますが、大部分は真面目で優秀な方です。ステロタイプなSFではよくパタナイズした官僚が出てきますが、そのたびに「またか」とうんざりします。

映画では『マイノリティ・リポート』。ユビキタス広告やARインタフェースが出てきます。ヒューマン・コンピューター・インタラクションの分野だと、SF映画が研究をリードしているイメージがありますが、それは結構一流の研究者が監修していたりして、その一つの例ですね。『her／世界でひとつの彼女』も、ヒューマン・コンピューター・インタラクション関係の人に影響を与えてもいいような、シンプルで良質な画面デザインが印象的でした。

■イノベーションは予定調和じゃない

——ここまで、SFについて熱く語っていただきましたが、SFのどこに最も魅力を感じていらっしゃるのでしょうか。

一言で言うのは難しいですけど、想像力の爆発とか、そういうところですよね。僕は人類が発達していくためにはイノベーションが非常に重要だと思っているんですけど、SFはイノベーションの練習問題になります。思考実験の塊(かたまり)ですから。

逆に、SFじゃないフィクションっていうのは、個人的すぎるものが多いです。SFは、そういう普通のノベルとは違ったものをカバーしている。

イノベーションは予定調和じゃないんです。人間としては、予定調和に安らぎを感じる場合はありますけど。SFくらいは、ステロタイプや予定調和じゃないものを見せてほしい。そんなものは無視して、考えもつかないような未来や可能性を書いたときに、初めてこっちは面白いと思うんです。

――具体的に今後ＳＦが描くべきトピックにはどのようなものがあるでしょう。

社会を描いたＳＦが読みたいですね。技術の変化が激しいなかで何が変わっていないのかって考えたときに、変わっていないのはやっぱり社会でしょう。だから、この社会をどう変えるかっていうところに貢献できるような思考実験が出たら、これは結構すごいのではないかと僕は思うんです。今の社会を見ていると、いまだに冷戦時代とたいして変わらないことをやっているんじゃないか、みたいなことは誰もが感じていると思います。進歩していない。

たとえばベーシックインカムや宗教や官僚制度はどうなっていくかとか、そういうものと科学技術はどう関係するかとか、そういうことです。その意味では、キム・スタンリー・ロビンスンの『未来省』が、気候変動をきっかけに、社会が変わっていくありさまを、30年かけて描いていてすごいと思いました。そういう変わる社会を支えるためにブロックチェーンをはじめとするいろいろな技術が出てきて、やはりメインは社会変化のほうなんですよね。単に1つのアイデアだけじゃなくても良くて、組み合わせもイノベーションです。具体例を挙げると、『ゼンデギ』は、イスラームとゲームのＮＰＣ（ノン・プレイヤー・キャラクター。プレイヤーが操作しないキャラクターのこと）と親子関係の組み合わせでイノベーティブな作品になっている。イーガンはなかなかいい線をついているなと思います。

――これからのSF作家に期待することはなんですか。

SFって、やっぱり想像力のチャレンジでしょ。だから、こっちが思い付くようなことだと、あんまりびっくりしないですよね。思いも付かないようなものが出てきたときに「あ、いいな、これは」と思うと、やっぱり興奮します。そういう、読者が考え付かない可能性を見せてくれるものが見たいです。

普通の小説だと「こうだよね」って思っていることを強調して書いてくれるとシンパシーが出るんだけど、SFに求めるものっていうのは、普通の小説とはちょっと違うんだ。「いつもこっちが思ってたことを書いてくれたんでこの人好きだな」って感じるものよりも、「いつも思ってないことを見せてくれたからいいな」って思うようなものがSFじゃないかなって、僕は思います。

現実の研究者や会社が今の世の中で考えていることをきちんと押さえるのはリアリティという面ではいいけど、そのうえでSFは、もっと、もっと飛んでくれないと。

――SFでは、現実から飛躍しすぎたものは、今ひとつ売れない場合があったりすると思うのですが、その点はどのように乗り越えれば良いと思われますか。

自分の研究の話をすると、電脳住宅やヘルスケアシステムの話は、日本国内では受けませんでしたが、世界では受けました。日本全体としては飛んでるのを嫌う土壌で、変化を恐れる人も多いところがあります。そもそも日本では荒唐無稽の意味で「SFのような」という言い方をしてくる人も多いですよね。今までにないものを切り拓くイノベーションは、一般的な日本人に合わない部分もあるのかもしれません。

誤解を招かないように付け加えると、日本が駄目だと言いたいのではなくて、世界は広いと言いたいんです。ネットワークでつながっているのだから、その点で同じ考えの人は広い地球上のどこかにいるぞということです。私も、日本でより世界で評価されたほうで、国際学会のIEEEから歴史的偉業ということで、最高の栄誉のマイルストーンまでいただけました。読者層を日本に限らなくてもいい。

――日本のSF業界は今後、世界を意識していかなければならないというのは、本当にその通りだと思います。

外国の作品を日本語に翻訳しているだけでなくて、日本の作品で良いものはどんどん英語に訳して外に出していってほしいですね。生成系ＡＩのおかげで、言語の壁はどんどん低くなっています。日本のＳＦ作家には、もっとインターナショナルに、世界に出ていってほしい。世界で受ければ日本で受けなくてもいい、っていうぐらいで書いてほしいね。

第11章
研究からフィクションへ

川添　愛

川添　愛（かわぞえ・あい）
言語学者、作家。専門は言語学、自然言語処理。九州大学文学部卒業後、同大大学院修了。博士（文学）。2008年、津田塾大学女性研究者支援センター特任准教授、2012年４月から2017年３月まで国立情報学研究所社会共有知研究センター特任准教授。著書に『白と黒のとびら』、『自動人形の城』、『聖者のかけら』、『ふだん使いの言語学』、『言語学バーリ・トゥード』、『世にもあいまいなことばの秘密』他多数。

■「お天気上り坂」と言わないのはなぜか

――どのようなご研究をされてきましたか。

もともと学部と大学院では理論言語学を研究していました。人間がどんなふうに言葉を理解したり、話したりしているかを、理論を立てて科学的に理解しようという研究ジャンルです。当時は主にチョムスキーの生成文法の枠組みで、現代日本語の現象を分析していました。博士論文を書いている途中で自然言語処理の先生のアシスタントになりまして、そこで初めてコンピューターで言語を扱う分野に触れ、全く馴染みのないのジャンルで仕事を始めたという流れです。

そこから15、6年ぐらいは自然言語処理の研究に携わっていましたが、２０１７年にフルタイムの研究者を辞めて、今は本や文章を書く仕事に専念しています。

――「ロボットは東大に入れるか」〔編注：２０１１年から２０１６年に国立情報学研究所の主導でおこなわれていたプロジェクト「ロボットは東大に入れるか」。人工知能「東ロボくん」に東京大学の入学試験に合格できる水準の能力を身に付けさせることを目標としていた〕では、オントロジーの研究を担当されていらっしゃったと伺いました。少し詳しくお聞かせいただけますでしょうか。

オントロジーというのはもともとは哲学の一分野である「存在論」を意味する用語なんですけれども、情報科学の「オントロジー」は、何か知的なシステムを作ろうとするときに、その対象となる領域に何が存在するかをシステムに教えるための知識表現の一つを指します。たとえば私は以前、感染症の流行状況を監視するシステムの研究に携わったことがありますが、そこで利用するオントロジーでは「存在物」をまず生物か非生物かに分け、生物を動物、植物とに分けて……というふうに、世界を形作る存在をグラフで表現し、そこに必要な医学知識を入れるということをしていました。たいていの場合、解きたい課題に合わせて、使いやすいオントロジーをデザインします。

東ロボの歴史問題に取り組んだときは、東ロボくんが歴史についての正誤問題に正解しやすくするために、出来事のオントロジーをつくり、「こういう出来事が起こるためには、こういう条件が成り立っていないといけない」という知識を入れていきました。たとえば「戦う」とか「対立する」という出来事が成立するには、戦う人どうし、また対立する人どうしが同じ時代に生きていないといけないですよね。そういう知識を機械に与えて、問題をより解きやすくするということをやっていました。

――言語学の道に進まれたきっかけはどのようなものだったのでしょうか。

子供の頃は宇宙にも興味があったんですけど、中高で理系の分野が全然わからなくなってしまって、消去法的に文系の文学部に進みました。専攻を選ぶときのオリエンテーションでいろんな研究室を訪問したのですが、言語学の研究室に行ったときに、先生に「お天気下り坂とは言いますけど、お天気上り坂って言わないのはなぜなんですか」みたいな話をしたら、「そんなことに興味あるんだったら君は向いてると思うよ」って言われて。それで、「やった!」と思って、嬉しくなって言語学の道に入っちゃったという。完全にもう勢いですね。

■情報科学の先生からのフィクション指南

――現在、川添先生は小説家としてご活躍されていらっしゃいますが、どのようなきっかけで執筆を始められたのでしょうか。

研究者として働いているときに、自分が今後、どこかの大学で専任の教授とかになって学生を育てるっていうイメージが全く湧かなかったんですね。このままじゃ、たぶんやっていけないだろうと行き詰まりを感じていました。そんな時に、すごく身近な人が本を出したんです。それがものすごく羨ましかったこともあり、「自分が本を出す」ということが突然リアルに感じられたんですね。

そこで何か本を書きたいなと思ったんですけれども、自分としては、いわゆる専門書を書くのはちょっと違うと思ってたんですね。そこでせっかくだから、自分が勉強するのに苦労した数学とか計算機科学とかについて、なんか面白おかしく書ければいいな、ぐらいの感じで。一番最初に書いたのは、2018年に出した『コンピュータ、どうやってつくったんですか？――はじめて学ぶ　コンピュータの歴史としくみ』の原型です。

――『コンピュータ、どうやってつくったんですか？』は5冊目のご著書で、デビュー作は『白と黒のとびら――オートマトンと形式言語をめぐる冒険』ですが、執筆された順番は違っていたのですね。

はい。『コンピュータ、どうやってつくったんですか？』は　当時、いくつかの出版社さんに持ち込んでみたんですけど、結局出せなくって。そうこうしてるうちに「別のものを書こう」と思いまして、自分が勉強して面白いなと思ったオートマトン理論、形式言語理論について書こうと思ったんです。でも、そのあたりは私の専門ではないので、専門書として書けるわけもないし、教科書として書くのも違うと思ったので、パズル本っぽい感じで『白と黒のとびら』を書きました。スマリヤンの『パズルランドのアリス』のように、ちょっと楽しいパズルを解きながら、形式的なことを学べる本というイメージで書き始めました。

——どのように小説にしていったのですか。

最初、ストーリーにはあまりこだわっておらず、単にキャラクターがいたほうが面白いだろうな、ぐらいの感じでした。主人公がRPGみたいにどんどんレベルアップしていった方が、読者も読んでいて楽しいだろうっていう気持ちだったんです。
でも、いざ出版するとなった時に、査読をお願いした情報科学の先生から、「学術的な内容は問題ないんだけど、フィクションとして荒削りだ」「この本にはもっと可能性があるんだから、小説としてきちんとするべきだ」という風に言われて。「キャラが一貫してない」とか「人間が描けてない」といったことを指摘されたことで、「あ、これは真面目にフィクションとして書かないといけないんだな」と意識したというのが、大まかな執筆の経緯です。生まれて初めてちゃんとフィクションを書いたのがそこなんです。

——フィクションを小さい頃に遊びで書いていた、といった経験はありますか。

小学校一年生の時に、童話みたいな絵本は作ったことありますね。あと、高学年のとき一時期、文芸部みたいなところに入っていました。小説を書こうとして、当時問題になっていた公害とか、環境汚染をテーマにした壮大な話を構想して、何枚か書いたと思うんですけど、当然終わらず……。今思うと、なんかＳＦっぽい感じではあるかもしれないですね。

——友達同士で、小説を書かれたりとかは。

漫画は描いていました。当時の小学生あるあるですけど、ノートを買って何人かで回しながらストーリーを書いていましたね。

——デビュー前にインターネットに文章を発表したことはありますか。

インターネットを使い始めたのは、大学の三、四年ぐらいですが、ネット上に自分の文章を書き始めたのはずっと後になってからです。最初は『侍魂』などといったテキストサイトとかを見て、世の中に面白い文章を書く人がたくさんいるんだなって思ってました。通信料が定額になる深夜の時間帯に繋げてお気に入りのテキストサイトを巡回したり、人とチャットみたいなのをしたりしてましたね。自分で文章を書き始めたのは、「はてなダイアリー」が最初ですね。当時は『ファイナルファンタジーXI』をやっていたので、プレイ日記をつけたり。あと、プロレスや格闘技の試合の感想を書いたりとかして、似た趣味の人と交流していました。でも当時は、自分が文章を書く仕事をするとは思ってなかったです。

■百科事典から作った研究ノート

——読書体験についてお聞きしたいと思います。たとえば小さい頃、川添先生がご発表されてきた小説ジャンルに近い、科学ファンタジー的なものに親しんできたりはしましたか。

そういったジャンルをちゃんと読んだ記憶はないんですが、小学校低学年で宇宙に興味を持って星座の話を調べていた時に、ギリシャ神話をたくさん読みました。

一時は本当に天文学者になりたかったんですけど、天文台は人里寂しいところにあるって聞いて、「天文学者になるんだったら、遠いところに住まなきゃいけないよ」みたいなことを言われて、「あ、やめる」と。

——科学入門書のようなノンフィクションを読んでいたりはしましたか。

両親に『星・星座』っていう学研の図鑑を買ってもらって興味を持ったのが入口だったと思います。学研のひみつシリーズも読んでいました。『星と星座のひみつ』みたいな。そのシリーズに『まんがことわざ事典』もあって、それで「言葉、面白いな」って思ったこともありました。とにかくいっぱいシリーズがあったので、図書館で借りて読んでいました。

——当時はインターネットも発達していなくて、情報に触れるといえば図鑑でしたね。

そうなんです。あと、お父さんがいきなり20巻ぐらいの百科事典を買ってきて、お誕生日にもらったりしましたね。あまり文章は読まずに写真を見るばっかりでしたけど、楽しかったですね。

その百科事典の中から、鳥について書かれてる項目ばかり見つけて、書き写して、自分なりの研究ノートを作ったりもしていました。とくに鳥が好きだったわけじゃないんですけど、なぜか特定のテーマについて書かれてるのを見つけていくのが好きで、よくやっていましたね。

——夢中になっていたSF作品はありますか。

小学校一年生の時に、おじいちゃんとおばあちゃんから、『ドラえもん』の二巻を買ってもらいました。一巻じゃなくて、なぜか二巻なんですけど。で、そこから祖父母に会うたびに一巻ずつもらって、九巻までそろって、その二巻から九巻までを延々と何周も読んでいました。当時の私は自分から新しいものを手に取ることに抵抗があって、もらったものをずっと繰り返し読むタイプの子供でしたね。

——ほかはどのようなフィクションを読まれていましたか。

小学校の時は、知り合いのお姉さんからお下がりみたいにもらった『ドリトル先生』とか。学校の図書館にあった江戸川乱歩の「少年探偵団シリーズ」とか。でも、そんなにたくさん読んでいたっていう感じでは決してないですね。中学になると、藤川桂介『宇宙皇子』シリーズを読んでいました。宗教的なテーマ性に惹かれていたんだと思います。

――映像作品で印象に残っているものはありますか。

生まれて初めて映画館で見た映画が『E.T.』でした。お父さんと妹と行ったんですけど、混んでいて座れなくて、立ち見で見ました。子供だから、込み入ったストーリーはほとんどわかんなかったんですよね。大人になってから見直してみると、主人公の家庭が複雑だとか色々な事情がわかったんですけど、当時はその辺のドラマは全然わからないのにすごく面白くて、もうボロボロ泣いて。強烈な体験でしたね。

――よく映画館には通っていらっしゃったんですか。

映画館で見るのは、半年に一回か二回くらいでした。でも、父が映画好きだったので、TVで金曜ロードショーや土曜日のゴールデン洋画劇場をよく見ていました。『スター・ウォーズ』がすごく好きでしたね。特に三作目の『ジェダイの復讐』〔編注：現『スター・ウォー

ズ　エピソード6／ジェダイの帰還』]。終盤で、ルークがベイダーと対決して、ランドが戦闘機に乗ってデス・スターの内部を目指して、ハン・ソロとレイア姫がイウォークたちと一緒に緑の惑星で戦うっていう、三つの戦いの場面の切り替えが面白くて。物語ってこういうふうに盛り上げていくんだなと、あの映画ではじめてストーリーの語り方を意識させられました。

■原理が人の生死を左右する世界を作る

――『ハリー・ポッター』のようなファンタジーからの影響はありますか。

『ハリー・ポッター』シリーズは読んでましたし、好きです。あとは、『指輪物語』からファンタジーの世界観を学びました。でも、自分のファンタジーの原体験は、聖書だと思うんですよ。キリストが奇跡を起こしたエピソードを幼稚園で教わって、その魔法的な部分に惹かれていたように思います。長崎の出身で母方がクリスチャンだったので、子供の頃から教会に行っていましたし。

――聖書のエピソードでは特にどの部分がお好きでしたか。

お水をぶどう酒に変えたとか、パンを増やしたとか、そのあたりですね。とくに子供ながらに、どうやってパンを増やすんだろうと考えていました。そういった奇跡は魅力的に映りましたね。

――最近の小説の『聖者のかけら』は、中世の修道院が舞台のミステリで、『薔薇の名前』からの影響も感じました。

『薔薇の名前』からは多大な影響を受けたと思います。とくに、現代人の大多数からすると「そんなことはどうでもいいだろう」と思うようなことが、当時の修道士たちにとっては生きるか死ぬかの問題になっているじゃないですか。修道会ごとの教義の解釈の違いとか、普遍論争とか、アリストテレスの笑いについての解釈とか、キリストは財布を持っていたか否かとか。ある意味で異世界というか、ＳＦにも通じるところがありますよね。『聖者のかけら』でも、現代人の世界観とは異質な当時の人々の信仰世界を描くことに尽力しました。でもこの作品だけでなく、自分の書いた他の作品でも、オートマトンや数学の原理が人の生死を左右するような異世界を舞台にしています。歴史にしろ数理にしろ、今の人々からすると「自分の生活とは関係ないや」という印象を持たれがちだと思いますが、そういったものが切実な意味を持つ世界を疑似体験してもらえたら、何かしら心に響くものがあるんじゃないかと考えています。

――ほかに好きなミステリはありますか。

京極夏彦さんの京極堂シリーズですね。『姑獲鳥の夏』は認識論が大きな鍵を握っていますよね。あの本を読んで、こんなふうに学術的なテーマとミステリを絡めるのって「あり」なんだなと、衝撃を受けた記憶があります。もしかしたらその辺の影響もあるかもしれないです。

――ほかにジャンル関係なく、影響を受けたフィクションはありますか。

ファンタジーでもSFでもなくて恐縮なんですけど、中国拳法をテーマにした漫画の『拳児』には影響を受けていると思います。拳児くんという小さい男の子が、おじいさんから中国拳法を習って成長していく話なんですけど、非常にストーリーテリングが巧みでですね。

習った内容と、その時のライバルとの戦いとか、その辺の絡め方が非常にうまくて、読んでいるといつの間にか私たちもなぜか中国拳法に詳しくなるという。これは本当に素晴らしいなって思いましたね。

――論理や数でバトルしている過程を見せて、読者に原理を理解させるという川添先生の著作にも通じる部分があるかもしれないですね。

■プロレスとTRPG

――プロレスや格闘技へのご興味について伺います。プロレスも、ある種のフィクション性がある中でのバトルで、そういう部分がお好きなのでしょうか。

プロレスも一種のファンタジー、日常と切り離された世界ですよね。他のスポーツだったら日常の延長な感じがしますけど、プロレスは一つの独立した世界を作っている。その中で、それぞれのレスラーたちが、どうすれば自分の強さやキャラクターを前に出せるか、どうやってうまく自分が絡む流れを作れるかなどを考えながら動いているんですよね。でも、各自の思惑どおりにならないような出来事が起こったりもする。ある意味、現実世界の縮図ですよね。そういった中で選手が成長したり、人間関係が変化していくのを見るのがすごく面白いですね。面白いフィクションに通じるところがあると思います。

最近は格闘ゲームも始めました。『ストリートファイターV』をちょっとやって、今『6』を練習してるんですけど。

――ゲームは昔から遊ばれていましたか。

ゲームは大人になってからですね。子供の頃にファミコンブームがあったんですが、うちで買ったのがすごく遅くて、それまでは友達の家で『スーパーマリオ』や『ゼビウス』をプレイしていました。大人になってからはＴＲＰＧを遊ぶようになりました。だから、ファンタジー的な世界観みたいなのには、わりとＴＲＰＧの影響があるかもしれません。

――ＴＲＰＧもある意味、言葉で戦うゲームですね。川添先生の小説は、奇妙なルールがあり、その上でどう戦うかが焦点になるものが多いので、ある側面では共通している部分があるのかもなと思いました。ちなみに、特にどのようなＴＲＰＧをやっていらっしゃいましたか。

基本『ダンジョンズ&ドラゴンズ』だったと思うんですけど、ゲーム仲間が作ったオリジナルのシステムで遊ぶことも多かったですね。あと、ゲームブックの『ソーサリー』とかにもハマっていました。

——RPGはデジタルゲームでも遊ばれていますか。

はい。初めて遊んだのが『ディアブロII』でした。あと『Thief: The Dark Project』という、中世ヨーロッパっぽい世界で泥棒をするゲームもやっていました。それから『バルダーズ・ゲート』。『1』と『2』をやって、超ハマりました。『ファイナルファンタジーXI』も結構やり込んでました。

——最近やったゲームはありますか。

最近プレイして面白かったのは、チェコのゲーム『キングダムカム・デリバランス』。1

400年代のボヘミアを舞台にしたゲームで、主人公の青年が住んでいた村を焼かれて復讐をする、みたいな筋立てなんです。主人公は魔法も使えない普通の青年で、非常にリアル志向です。食べ物を食べてないと動けなくなったり、きちんとした寝床のある場所に行かないと寝れなかったり、そのまま寝ないで行動していると主人公が眠くなって画面が見えなくなったり。当時のボヘミアの都市の再現度もすごくて、めちゃめちゃめんどくさくはあるんですけど、そのめんどくささが、いかにも中世の世界で生活してるような気にさせてくれます。

——やはり中世ファンタジー的な世界観がお好きなんですね。作品と通じる部分があって面白いなと思いました。

■笑いはシリアスな内容を乗せるのに重要な要素

——少し話題を変えて、言葉に対する見方についても伺っていきたいと思います。小さい頃から、言葉の面白さには敏感だったのでしょうか。

言葉に敏感だったわけではないんですが、自分が何かを見るときの目の付けどころには、ちょっとした自信がありました。高校の時、流行ってるお笑い芸人やアイドルのモノマネをしていたんですが、他の人がやらない側面をマネしたりして、友達にすごくウケてたんです。その延長で、「お天気下り坂って言うのにお天気上り坂って言わないのはなぜ?」といったことにも興味を持ったんじゃないかなと思います。

——ご著書のエッセイのなかで、お笑い芸人のロバートのコント「シャーク関口ギターソロ教室」のお話をされていたり、お笑いを言語学的に見ていらっしゃるのが印象的でした。

「シャーク関口・ギターソロ教室」だと思ってたら、実は「シャーク関・口ギターソロ教室」で、口でギターの音を真似する教室だったたっていうコントですよね(笑)。お笑い芸人の方々は言語的なセンスが優れている人が多いですよね。よく見るお笑い芸人は、東京03や中川家ですね。あと、直近だと、ジェラードンのYouTubeチャンネルをよく見ています。

——ジェラードン、「家庭教師で行った家の子が貫禄ありすぎて、お父さんと間違えて話してた」といったコント動画が有名ですね。あれも言語ギャグと言えるかもしれません。お笑いにもある種SF的な要素がありますね。

昨年、冬木糸一さんの『「これから何が起こるのか」を知るための教養　SF超入門』を書評したんですが、あの中で紹介されている本を読んでみようと思って、まず選んだのが『銀河ヒッチハイク・ガイド』でした。SFにも、こういう風に笑いが入ったものもあるんだなと思って。面白かったです。

――笑いがあると、新しいジャンルに入っていきやすいのかもしれませんね。

それは確かにそうだと思います。大槻ケンヂさんがエッセイの中でおっしゃっていたと思うんですけど、彼が若い頃に感じたドロドロした思いをそのまま表現しても読んでもらえなかったけど、そこに笑いを入れたら急にメジャーになったって。

確かに大槻さんのバンド、筋肉少女帯の歌って、ものすごく面白いですよね。初めて聞く時には笑える部分に注目してしまいますが、面白いなと思いながら聴いてると、徐々に胸に迫ってくるんですよね。笑いって、シリアスな内容を乗せる上で、とても重要な要素になると思いますね。

■歌詞の中の「無論」「前者」

――実は、ご著書のなかでも特にエッセイを読んでいて、大槻ケンヂ的な雰囲気を感じていたのですが、彼からの影響は大きいのでしょうか。

大槻ケンヂさん、大好きですね。大槻さんの著書『サブカルで食う』の中で、エッセイを書く時は、自分が好きなエッセイストになりきって書けみたいなことを書かれていたんですよね。私もそれを参考にしています。

でも、なんとなくですが、大槻さんの真似はできないなと思っていて。そこで意識的に真似したのはカレー沢薫さんです。でも、もし私のエッセイにオーケン味が出てるんだったら、それはそれで嬉しいですね。すごく好きなので。たぶん、小説として一番影響を受けているのは、大槻さんの『グミ・チョコレート・パイン』だと思うんですよね。

――大槻ケンヂさんはSF小説も書かれていますね。

『ステーシー』『ぐるぐる使い』『新興宗教オモイデ教』なども読んでいます。

――大槻ケンヂ的なエッセイストへの憧れはあったりするんですか。

そうですね。もともと人を笑わせることが好きだったので、面白い文章を書く人にはずっと憧れがありましたね。

――大槻ケンヂの歌では何が好きですか。

筋肉少女帯の歌で一番好きなのは、『いくぢなし』。笑っちゃうんですけど、同時にすごく泣けるというか、他のどこにもないような世界を歌ってるっていう感じがしますね。

――筋肉少女帯の歌もSF要素が多いですね。

『風車男ルリヲ』〔作詞：大槻ケンヂ、作曲：大槻ケンヂ・King-Show、1990年〕とか、かっこいいですよね。君の人生がうまくいかないのは全部「ルリヲのせい」。巨大な風車をぐるぐる回すルリヲがいるから、ルリヲを殺しに行きなさいって。『戦え！何を⁉人生を！』も好きですし。大槻ケンヂさんの歌は中には必ず、物語が一つ入ってますよね。なにかしら事件があって、葛藤する。単に気持ちを歌うわけではなく、それだけで一つのフィクションになっている。

――大槻さんのもう一つの代表的バンド「特撮」も聴きますか。

特撮もすごく良いですね。特撮の歌の中では『エレファント』〔作詞：大槻ケンヂ、作曲：三柴理、2004年〕が好きです。出だしが「彼の前には象の群がいる　無論何かを象徴している」なんですけど、歌詞の中で「無論」って使うか！　っていう。そこで、なんかすごいと思って。

――言語学者的な見方ですね。

大槻さんはよく、ふつう歌詞で使わないような言葉を使うんですよね。たとえば筋肉少女帯の『イワンのばか』〔作詞：大槻ケンヂ、作曲：橘高文彦・筋肉少女帯、1990年〕では「前者」っていう言葉を使っています。「前者」とか「後者」って、論文とかでしか使わないじゃないですか。イワンが「三年殺し」っていう技をかけられて、三年後に死ぬことになって、楽しんで生きるか、苦しんで生きるかの選択を迫られた時に、「楽しんでも苦しんでも三年の日は流れてゆく」、「イワンの奴は前者を選んだのさ」って。なんかもうね、やられましたね。そのセンスはすごいと思います。まず笑っちゃうんですけど、でもどんどん聴いているうちに「すごい深い曲だなあ……」って。

■「言語学者・作家」という肩書き

——ここまで広義の意味でのSFの話題はたくさん挙げていただいたと思うのですが、狭義のSF、ジャンルSF的なものは読まれていますか。

長谷敏司さんの『あなたのための物語』とか、イーガン『順列都市』とか、ギブスン『ニューロマンサー』とか、人から「面白いよ！」とおすすめされたものを少しずつ読んでいます。SFは普段の生活から切り離されたトリップ感みたいなものがあるのが、やっぱり楽しいと思いますし、その中でヒヤッとするというか、自分の中の潜在的な恐怖に触れるっていうところが、面白いなと思いますね。

――恐怖っていうのは……なんでしょう。たとえば『順列都市』だったら、自分のコピーができてしまう、みたいな怖さでしょうか。

私としては、人間のコピーがすごく長い時間、生き続けるところが怖かったですね。永遠に暇つぶしをしなきゃいけなくなるっていう。不死というのも怖いんだなと、初めて思いました。そういう、自分が思ってもいなかったことを疑似体験して、考えるヒントをもらえる。その点ではＳＦって格好の題材ですよね。でもけっこう精神を揺さぶられるので、体調が良くないと読めないなと思います。

――言語学の観点で、この作品は面白かったなという作品はありますか。

言語学関係だと、『虐殺器官』が面白かったですね、言語学者があんなにフィーチャーされた作品もあまりないですし。あの話はチョムスキーの変形生成文法からヒントを得たんだと思います。理論的な概念の解釈自体は言語学のそれとは違うんですけど、物語としてはそっちの解釈の方が面白いよなあ、と。

――SF業界の人間からすると、川添先生を「SF作家」のカテゴリに引き入れたいと思ったりするのですが、SFという枠についてはどう感じられますか。

ほんとですか。いやいやいや。私からすると、SFって頭のいい人が書いて、頭のいい人が読むジャンルだという感覚があるので、自分が書いてるものがSFだと思ったことはないです。でも、そんな風に言っていただけるのは、光栄ですね。

――ご自身から見て、著作をあえてジャンル分けするなら、何になるのでしょうか。

難しいですね。人から聞かれた時はファンタジーだと答えることが多いんですけど、私の意識としては、物語を書いているっていうんですかね。小説っていうよりも、物語。おとぎ話のようなもの、として書いてる感じはありますね。

――肩書きでいうと、一番しっくりくるのは「作家」でしょうか。

そうですね。

――ご著書の中で、言語学者と名乗るのはためらうけれどまぁいいか、みたいなギャグテイストで肩書きを語っていらっしゃって、面白いなと思いました。

そうなんです。言語学は途中でドロップアウトしましたし、人工知能の分野でも研究開発をバリバリやっていたわけではないので、あまり言語学者や人工知能研究者として見られるのもどうなの？　という気持ちがあります。かといって、小説家でもないと思うんですよ。小説を生み出す力とか頻度とかを考えると、小説家の先生方の足元にも及ばないと思います し。でも、作家っていう肩書きは、割といろんな人が名乗ってますよね。だから、私もそう名乗っていいかなって。ただし、それでもなんとなく割り切れない部分があるので、「言語学者・作家」とお茶を濁しています。

――面白いですね。どのジャンルで業績を残していても、ご自身では謙虚で、むしろネタ化していらっしゃる。川添先生の著作の魅力の一つは、軸足をいろんなところに置く姿勢からも来ているんだと思っています。

ありがとうございます。でも、ある意味それは、フラフラしているということでもあります。まだまだ、自分の軸を探っている途中なんだと思います。

——海外だと、研究者と作家を両方やってますっていう先生は結構いると思うんです。日本だとあまりいらっしゃらないと思うので、川添先生のような方をロールモデルに、どんどん増えてほしいなと思っています。

最近では、昔に比べて、本職の研究者が一般向けの本を書くことも多くなりましたよね。言語学で言えば、慶應義塾大学の川原繁人さんが音声学の入門書の中でポケモンやプリキュアを題材にしたり、南山大学の和泉悠さんが「悪口」の解説書の中で『新世紀エヴァンゲリオン』のアスカのセリフ「あんたバカァ?」を取り上げたり、身近でポップなところから読者を学問的な内容に誘う本も増えています。そういうのを見て、今後「自分もやってみたい」と思う研究者が増えていくかもしれないですね。

■身体に感じられる形で具体例を味わう

——本を書く時、どういうふうにテーマを選んでいますか。

基本的に、私自身が面白いと思っているものをテーマにしています。数論にしても、オートマトン理論にしても、魔術的なものを感じるんですよ。学生時代、授業で初めてオートマトン理論の話を聞いた時に、aaabbbとか、aabbaaとか、二つの文字だけからなる言語を見て、これも言語なの？　と、ミステリアスに感じました。どうすれば、自分が感じた魅力を他の皆さんにも伝えられるだろうと考えることが、自分の核になっているのかな、と。

——研究をフィクションという形式で伝える利点は何だと思われますか。

フィクションにはいろんな要素を入れられますよね。笑いも入れられるし、成長物語も入れられるし、ミステリ的な謎解きも入れられる。テーマそのものに馴染みがなくても、別のところで読者の心の琴線に触れる可能性がありますよね。

それから、具体例をいっぱい出せる。学問の話はどうしても抽象的になりがちですけど、フィクションだったら現実的にはありえないようなことでも、「実際にこういうことがあった」と言うことができる。皮膚感覚というか、身体に感じられるような形で具体例を味わっていただけるというのは、フィクションの強みの一つかなと思いますね。

――たしかに読者にとっては、授業を受けるような感じよりも、自分と主人公を重ね合わせながら成長していくほうが間違いなく楽しいですね。

私は自分が何の専門家でもないっていう気持ちがすごく強いので、あまり自分が先生として教える形でものを書くのが好きじゃないんです。できれば自分が学ぶ方で、自分が学ぶ過程を皆さんに見ていただきたいっていう気持ちがあるんですね。

実際、今まで書いた物語の主人公は、だいたい自分の分身です。「私」的な存在がいろんな人に教えられて学んでいく過程を見せることで、読んでいる人にもテーマを理解していただけるっていうのが、フィクションのいいところですね。

――ある種のアバターみたいな。

そうですね。自分がなにかを理解する過程がとても好きなんだと思います。私はものわかりが悪い人間ですけれども、そんななかでも少しずつ頑張って、なにか理解したとか、成長したなって思える瞬間がやっぱり楽しい。読者に教えるというよりも、読者と一緒に学んでいくスタンスでいられたらと思っています。

——最後にお聞きしたいのですが、川添先生はご自身がフィクションを書く意味について、どのように考えていらっしゃいますか。

今回、このプロジェクトでインタビューをしていただけるとお聞きして、事前にSFプロトタイピングやSF思考関連のインタビュー記事を読ませていただいたんです。そこで宮本道人さんが、SFは行き詰まりを打破する、自由に未来を考えて閉塞感を打破する力があるとお話しされている記事を見つけて、それがとても腑に落ちたんですよね。

私自身もすごく物語を必要としていると思うんですけれども、それってやっぱり、人間って「詰み」の状態が嫌なんだろうなと。どん詰まりというか、この先にっちもさっちも行かないような、そういう状態がすごく嫌なんだと思います。でも現実的に考えれば、自分もどんどん年を取っていくし、体も弱ってくるし、好きなだけ生き続けることもできない。そういう現実と直面しながら、それでもなにか希望を持ちたいという思いが、想像の世界、空想の世界に目を向けさせるのではないでしょうか。

だから、物語というものを通して、世の中、暗いことばかりじゃないんだよ、思いがけないことが起こるかもしれないし、理性的に考えているだけだと想像が及ばないようなことも実際はあるかもしれないよ、ということを伝えたい。

私はたぶん、自分の心の持ちようで、世の中って結構変わるんじゃないかと考えているんだろうと思います。宮本さんはＳＦの文脈でそのようなことを語られていましたけど、根っこは同じだなと。

行き詰まりを打破したい、閉塞感をどうにかしたい。希望を持ちたい。そういった思いが、結果として物語という形で表に出てきているのだろうと思います。

コラム③　「物語ること」の連続性について

長谷敏司

本書のプロジェクトで、わたしは特殊な立ち位置にいると認識していました。フィクション研究内にいる、唯一の専業フィクションライターだからです。研究者の目から本書を総括することは、まえがき・あとがきで大澤先生がやってくださっているので、本コラムでは、ＳＦ作家の視点から書いてみたいと思います。

２０１０年代後半、本書の企画前夜は、まだＡＩの進歩が、世界中の政治リーダーが協議すべき具体的な脅威だとみなされていない時期でした。ですが、ＡＩが急速にわれわれの生活を変えてゆくことは予測されていました。だからでしょうか、研究開発とＳＦを関連づけた記事を、さまざまな場所で目にしました。たとえば、ＡＧＩ（汎用人工知能）やシンギュラリティ（技術的特異点）についての記事に『ターミネーター』、ロボットの記事に『鉄腕アトム』や『ドラえもん』、ＶＲの記事には『攻殻機動隊』といった具合です。テクノロジーの紹介や研究者へのインタビュー記事で、ＳＦについて触れられていることは、めずらしいことではありませんでした。

そんな時期、いちSF作家として、誇らしく感じつつも、素朴な疑問を抱えていました。「SFにそれほど巨大な影響力があるならば、それに見合うだけの膨大な数の受け手が必要だが、そんなに顧客層が厚かっただろうか?」という、現代のプロ作家としての肌感覚からくるものです。そして、影響が本当にあるなら傾向を知りたいという知識欲もあり、積極的にプロジェクトに関わらせていただきました。

影響を知るだけなら、大規模なアンケートが適切だった可能性もありますが、個人的にはインタビューが魅力的でした。アンケートでは、人の心に本当にフィクションが影響を与えたのかという微妙な質問をうまく提示することが難しいですし、噛み合わなかった場合の調整もできません。繊細な心の動きのことなので、じっくりお話をうかがうことで明らかにしてゆくやりかたなら、信用できました。さまざまな年代の研究開発者の生の声で確かめずには、イエスかノーかだけいただいても納得感を得られない気がしました。日本では手塚治虫の影響の大きさがよく話題にあがるのですが、その作品をリアルタイムで摂取した世代の研究者からお話をうかがうチャンスなら今だと思えたこともあります。

この本を読んできたみなさんは、もうご存じのことと思います。「こういう分野の学者さんなら、こういうフィクションを見ていたのではないか」という印象論は、ほとんど当たっていませんでした。

フィクションの影響が研究開発にあったというかたは、無視できない人数おられましたが、少数派でした。作品名は、研究への影響というより、多くは個人史の一項目としてあがりました。ただ、子供の頃、興味を育むのにフィクションの影響が強かったというお話は、多数いただきました。本書のインタビューの大きな意義だったと思います。個人的には、フィクションに影響を受けた研究開発者のご活躍を本当に心から応援しています。ですが、ＳＦファンの人数を考えれば、納得いく結果でした。

もうひとつ、巻末の年表についても触れさせてください。これは、ミーティングを重ねて作った苦心作です。特に１００に絞ったフィクション作品は、苦しみながら厳選しました。お時間がありましたら、皆さんになじみのある時代と作品が、年表のどのあたりか確認してみてください。

読者の皆さんの個人史と並走して、研究開発者のかたがたも生きて、その仕事の成果として技術が進歩してきた空気を、感じられるものになっていたならさいわいです。本書のフィクション年表は、インタビューであげていただいた作品をもとにしているので、実は偏っています。ＳＦ作品史で重要な作品よりも、取材先の皆さんの個人史に寄り添うよう選出しました。各項目から、同じフィクションや事件を体験した人々の活動が社会をつくってきた、時代の空気が伝わればと、各年代の重要な事件も記載しています。年表には記されていない、多様な数えきれない仕事の積み上げもまた、同時代に確かにありました。観客に楽しんでもらうために当時の作者たちが作ってきたフィクションの足あとも、そこにありました。

年表とインタビューがひとつの本に入っているのは、自分にとっては思い入れのあるデザインです。研究もまた個人史と結びついていて、時代の空気と関わっていることが、示されているためです。つまり、現行社会を大きく変えるものを研究開発している人たちが、人類のタスクをただＡＩに代替させて、あとは放り投げるつもりで仕事をしているとは考えにくい。インタビューからうかがえるように、人間がもつ能力や経験の全容に対して、仕事で使われる部分は氷山の一角です。それを海面下から支える巨大な氷の部分では、われわれに共通点があります。そんな時代の営みの一部として、ＡＩ開発も存在していました。

具体的な成果よりもコンセプトが目立っていた数年前、テクノロジーについての記事でＳＦについてよく触れられていたことを、最初にお話ししました。これは、氷山がよく見えないから、それを支える海面下の氷の話をしていたという、共通性への強い信頼からきていたのだと、いまは思っています。

そして、いま、具体的な成果が増えてきて、予測されているビジョンでは、研究開発すらもAIによって代替が進むことになりそうです。未来のわれわれは、科学すべてをAIにまかせている可能性もあります。そのときは、こうした共通点があることも、意味を失うかもしれません。けれど、その新しい世界への離陸をコントロールできるチャンスがあることもまた、おそらくは示されています。われわれは未知ではなく、既知の土台に支えられているためです。そして、その先の世界を、われわれがどう運営するかのヒントも、こうした営みとしての仕事像の中に、きっと眠っています。

作家も代替可能な仕事だろうに楽観視しすぎだと、思われてしまいそうですね。ですが、わたしには、フィクションは、共有されることで人間を繋ぐ役割を果たしてきたように思えています。氷山のたとえを用いるなら、海を特徴づける一般的な成分のひとつだから、年表のどのポイントにも物語があったということです。これから社会がどう変わってゆくとしても、その中で何かを共有してゆくことで、われわれは連続性が保たれたものであるように見え続けます。そして、連続性に根ざした存在として振る舞うことができます。

だから、今、社会には、人間の目や感情を通して「物語ること」に見捨てられた年代も、「物語ること」を軽んじた年代もなかったのだという、連続性を示すことに貢献したいと思っています。社会がより複雑になる時代には、より複雑な切り口の物語に感情移入できる人々が、同じ連続性に属する人間によって語られるフィクションを欲するでしょう。そういう世界で、フィクションは続き、人間は生きて、年表の続きを作ってゆくのだと思います。

いちフィクションライターとして、フィクションと現実世界が幸福に並走できる未来はあると、希望を持てる企画でした。インタビューに協力してくださった皆様、本書の執筆陣の皆様、早川書房の皆様への感謝をのべて、コラムの締めとさせていただきます。ありがとうございました。

対談

「人間とは何か」が揺らぐ時代にSFが描かなければいけないこと

松尾 豊×安野貴博

右：松尾　豊（まつお・ゆたか）
人工知能研究者。東京大学大学院工学系研究科人工物工学研究センター／技術経営戦略学専攻専攻長・教授。日本ディープラーニング協会理事長。内閣府「AI戦略会議」座長（2023年）、第5回「星新一賞」審査員（2017年）を務めるなど、日本を代表するAI研究者として行政・文化に関わる活動も積極的に行う。著書に『人工知能は人間を超えるか――ディープラーニングの先にあるもの』（KADOKAWA／2015年）、『超AI入門――ディープラーニングはどこまで進化するのか』（NHK出版／2019年）など多数。

左：安野貴博（あんの・たかひろ）
作家、連続起業家、エンジニア。技術と物語を主なテーマに、AIに関する作品の制作やスタートアップの創業を行っている。合同会社機械経営代表。東京大学工学部松尾研究室卒。『コンティニュアス・インテグレーション』が第6回星新一賞優秀賞、『サーキット・スイッチャー』が第9回ハヤカワSFコンテストで優秀賞を受賞。M-1グランプリ2回戦敗退。

研究者たちへのインタビューを通して「ＡＩを生んだＳＦ」を解き明かしてきた本書の最後に、「ＡＩがますます進化していくこれからの時代に必要なＳＦとは何か？」を、当代きってのＡＩ研究者・松尾豊氏と松尾研出身のＳＦ作家・安野貴博氏との対談から考えてみたい。学生たちに『三体』を勧める理由、メタに考えるということ、そして、「人間であること」の意味が変わりゆく時代のフィクションの役割――。人工知能研究者と人工知能を扱う作家の対談から、今後の人間と物語の未来を探る。

聞き手：大澤博隆

■ポケットの中の宇宙

――お二人の小さい頃からのSF体験について聞かせてもらえますか？

松尾：SFは小さい頃からすごく読んでいました。だから図書館に行くのが好きで、親がいつも図書館に連れていってくれていて。少なくとも図書館にあるSF系は、だいぶ読みましたね。

安野：どういうものを読まれていたか覚えていますか？

松尾：何を読んでいたかなぁ……でも小学校高学年のときにはもう、大人向けのものをだいぶ読んでいましたね。あとは科学もので、いまでもよく覚えているのは、「もし850ヘクトパスカルの台風が来たら」とか「もし重力が10分の1だったら」を解説する「もしもシリーズ」。そういうものがすごく好きでした。

安野：僕も小学生のときに『空想科学読本』のシリーズを読んでいました。ピカチュウの10

万ボルトの威力を計算してみたり、いろんな物語に対して科学的にマジレスしてツッコミを入れていく本なんですが、ＳＦっぽい面白さに目覚めたきっかけかもしれません。そこから興味を持ちはじめて、図書館にあった星新一を片っ端から読んでいったりしてました。

――松尾先生がSFを読まれてきたというのはあまり語られていなかったと思いますが、結構読まれていたんですね。

松尾：そうですね、小さい頃は好きで。あとはやっぱり、ＡＩを研究するようになってからは必読書は読むという感じですかね。アシモフのロボット三原則だとか。

――コンピューターの研究分野に行かれたきっかけは？

松尾：グレッグ・イーガンの『順列都市』ってあるじゃないですか。あんな感じのことを割と考えていて。そもそも世界ってシミュレーションできるじゃん、と。コンピューターは小学校の頃に、プログラムで遊んでいたんです。それで、ポケットコンピューターで世界作るじゃん、いやむしろ、この世界がシミュレーションなのかも、みたいなことを普通に思っていて。そういうのを作りたいなと思っていましたし、自分でゲームを作ろうともしていました。

安野：ゲームを作ろうと思っていたところから、研究のほうに行かれたのはどういう経緯があったんですか？

松尾：何ていうのかな、コンピューターってめちゃくちゃすごくて、何でもできるじゃないですか。たとえば普通の玩具に比べると、レゴって明らかに格上じゃないですか。

安野：自由度の幅が全然違いますよね。

松尾：そのレゴよりさらに格上なのがプログラミングで。めっちゃすごいなと思うんだけど、なんでみんなわかんないのかな？　みたいに思っていました。あとは、自分っていう存在が不思議だとか、宇宙が不思議だっていう好奇心がベースにあったので、どう考えてもコンピューターで何かやることに行き着く。だからＡＩの研究に行ったのは自然な流れだったと思います。

——松尾研のなかで、いわゆる物語とかフィクションの話は結構されるんでしょうか？

松尾：人によりますけど、好きな人は好きですね。松尾研の基礎研究チームには「変態度」っていう指標があって。「知能を考える」って、そもそもだいぶ変じゃないですか。「こうやって考えている自分のことを考える」みたいな行為なので、そういうことを本気でやっている人は、動作とか発言とかが変になっていく。

——テッド・チャンを読まれているとか、ゲームが好きだ、みたいな話を事前に調べてきたんですけど、そういう「変さ」というか、「知能に興味を持つ」ところは関係したりしますか。

松尾：そもそも、この宇宙なんなの？　とか普通思いますよねっていう（笑）。自分がいて、なにかを考えてて、そのうち死んじゃう……とか意味わかんないですよね、みたいなとか。そういうのがベースにあってほしいなっていうのもありますよね。

――安野さんもそうしたところに興味を持って松尾研に入られたのでしょうか。

安野：僕の場合は、ソフトウェアが賢くなっていくと、世の中にすごいインパクトがあるだろうなっていうところに興味を持っていて。ちょうど当時、松尾研では機械学習をやっていて、ディープラーニングが出はじめてきた時代だったので、「こんなに面白い研究室はないだろう」と思いましたね。実際に入って面白かったのは、コンピューターサイエンスだけではなくて、それを取り巻く社会システムに関しても併せて考えていく風潮があったことです。GunosyやPKSHAなど、ビジネスを作った起業家のOBも多いですし、僕や白川さんのように小説を書いているOBがいるのも、そういう土壌があったからなのかなと……自分は小説を書いたりエンジニアとしてコードを書いたりと、全然違うことをやっていると見られることが多いのですが、未来の社会がどのようなものか考えたい、という松尾研的なマインドのなかでは一貫していると思っているんです。

■AI研究者と作家はメタに考える

――松尾さんは昔から、単にAI研究を行うだけでなく、AI研究を盛り上げるということ、それから研究者のキャリア人生を人生ゲーム風にした「Happy Academic Life 2006」など「研究を社会に伝える」ということもやられてきましたけど、そうした活動の裏にあるポリシーをお聞きしたいです。私のなかでは「冬の時代から頑張ってやられてきた先生」というイメージがあるので。

松尾：ＡＩはそもそも面白いに決まってんじゃん、と思っていたので、当初は不思議でしょうがなかった。なんでこんなに面白いことをみんなやらないのかなと思っていました。だんだんわかってきたのは、結局僕の人生は、自分がいいと思ったことを周りから理解されずに苦しみ続けて、そのうちみんなわかってくれるんだけど、その頃には僕の興味は尽きている。そういうことの繰り返しなんだなという。

――世間とタイミングが合うことはないんだと。

松尾：僕自身はこんなに面白いことはないと思ってずっとＡＩの研究をやってきていますし、それはメタに考えるという仕事でもある。ＡＩ研究者って、メタであるべきだと僕は思っているので、「研究をしている」とはどういうことなのかとか、「研究費を取る」とはどういうことなのかとか、そういうこともちゃんと考えないといけないと思っているんです。
　そうすると、論文を書くっていうのは小説を書くのと一緒で、伝えたいことがあって、読む人がいて、その人のコンテクストに合わせて加工しないといけないですよね。それから研究者として社会にいる理由を考えると、技術と社会をつなぐこと――研究内容をわかりやすく伝えるとか、新しいことが起きたときにそれをいち早く伝えるとか、そういう役割であるはずだと。積極的に社会に伝えることをしてきたのは、そういうふうに自分の役割をメタに考えてきたからかもしれません。

――安野さんにもそういうメタ的、あるいは分析的な視点があるような気がしますね。

安野：メタレベルでの戦いが大事なんだということは、先生は研究会でもよくおっしゃっていましたよね。そういうマインドセットは松尾研の学生は割と持っているような気がします。主戦場だけを見るんじゃなくて、その上のメタエリアでの闘いも、しっかり分析してやろうと。松尾先生も、授業のコースを作って数千人の学生を集めたりとか、大学の教育システムのハックもいろいろやられてるところがすごい面白いなと思っています。

――松尾研で学んだことがいまの作家としての活動に活きていると思うことはありますか？

安野：そういう意味でいうと、デビューの直接のきっかけは松尾先生にもらっています。2017年に先生は星新一賞の審査員をやられていたじゃないですか。あれを見て、翌年に僕が応募したんです。松尾先生が審査員をやっている賞ならきっと受け入れられる余地があるのかもしれない、と思って出した短篇で賞をいただいたのが作家になった最初のきっかけだったんです。

AIと創作活動は今後もっと距離が近づいていくし、相乗効果も生まれてくる領域だと思っています。

――メタ的に考える、というのはAIに携わる人たちの特性なんでしょうかね。

松尾：AI研究者のなかにも、たまたま自分がやっている領域がAIだった人と、メタで考える人の2種類がいるんですよね。メタに行く人のことを僕は「ハーバート・サイモン型」と呼んでいて、そういう人たちはいずれ経済学者になっちゃうんですよ。研究しているとはどういうことかを考えていくと、だんだんカバー範囲がデカくなっていくんですよね。

——AI研究者にメタ思考を持っている人が多いというのは、この企画をやって初めて気づいたんです。SFも人類や社会を俯瞰して見るところがあるので、なぜSF好きのAI研究者が多いのか？　という問いのひとつの答えなのかなと思っています。

■研究と物語の距離感

——AI自身がAIを作る不連続点、シンギュラリティ（技術的特異点）など、題材としてもAIはSFの人気テーマです。

松尾：AI関連の話で、個人的に恋愛に落ちる話が多いのはもったいないなと。誰かが言っていたけど、そもそも宇宙とか知能の話において、人間の脳における若干のホルモン量の変化が大きな影響を及ぼすわけがないじゃん、と。でも、そういう話にしないとみんな読まないからしょうがないよなと思いつつ、何か違うんだけどなっていう……。

安野：個人的には、商業出版においては、読者に面白かったと思ってもらうことが最優先だと思うので、恋愛要素が入ってくるのはすごく理解できます。自分の作品では恋愛要素はあんまり入らない傾向がありますが……いつかはやってみたい。

松尾：基本的に僕は、「進化生物学＋人工知能」が学問としてワンセットだと思っていて、AI研究というのは進化由来の話と、学習システムの話で成り立っているんですよね。それをみんなごっちゃにしがちで、知能の話をしているのに、恋愛とか子供といった要素を入れてくる。それは進化由来の話でしょ？　って。

AIが人間を襲うんじゃないかと言われることがありますけど、襲うっていうのも進化生物学な要素で、社会的な動物じゃなければ普通は他者に無関心なので、関係ないことにエネルギーを割くことはない。人間の場合は、もともとが過度に社会的な動物なので、そうしたことを頭ですごく考えちゃうんですよね。そうしたことは日々思うんですけど、あんまり言うとアレなのでなるべく言わないようにしています（笑）。

――安野さんや、第22回「このミステリーがすごい！」大賞を受賞した『ファラオの密室』の白川尚史さんなど、松尾研からは何人か作家が生まれていますね。

松尾：特に指導してるわけではないんですけど（笑）。

安野：業界問わずいろんなところに行きますよね。研究者やエンジニアになる人が多いのはまあイメージ通りですが、コンサルや金融機関でバリバリ働いている方も多いですし、起業家もたくさんいる。ＯＢＯＧ会に行くとバリエーションの多さに毎回びっくりします。

松尾：白川さんの『ファラオの密室』は面白いけど、ＡＩ要素がまったくない（笑）。

——安野さんご自身も、多方面で活躍されていますね。ロボット漫才とかは、どういう経緯で始められたのでしょうか。

安野：２０１５年ぐらいにソフトバンクからペッパーという人型ロボットが出たんですが、当時、ペッパーくんの前に立ったとき「どうやって意思疎通すればいいんだろう」とすごく居心地が悪くなったのが印象的でした。未来の社会では機械と人間がコミュニケーションをたくさん取る必要が出てくるわけですが、果たしてロボットと人間ってうまくコミュニケーションを取るようになるのだろうかと疑問に思ったんです。そこで、人をゲラゲラ笑わせることができるのであればきっとそういった壁も超えられるだろうと思い、高校の同級生と一緒に漫才を作りはじめました。どうせ漫才作るならM-1グランプリに出るべきだろうと思い、トライしてみたところ、2回戦まで行けました。芸人さんたちが壁に向かってネタ合わせしてるなか、地面にMacBookを広げて本番直前までデバッグしてたのは楽しかったです。

——松尾先生が研究室の学生たちに勧めている作品はありますか？

松尾：『三体』はすごいですよね。『三体』を読んだほうがいいよ、とは学生たちに言ったことがあります。

——どのへんが推しポイントですか？

松尾：まず設定がすごく面白いのと、宇宙の話につながっていきますよね。いかがわしいところはたくさんあるんですけど、それでもスケールの大きさとか、科学的な正しさというか、「そうかもね」って思わせてくれるあたりとかは、非常に面白いと思います。

——学生にもあれぐらいデカい発想をしてほしいと。

松尾：最後に宇宙の謎をちゃんと解かないといけないじゃないですか。そもそも人類はこんなにチマチマやってる場合じゃない、と思わせてくれますし、そういうのがベースにあるから研究者は頑張ろうとするわけじゃないですか。

科学技術の力とＳＦの力はかなり比例しているというか、因果関係がどうなのかはわからないですけど、ＳＦが確実に引っ張る部分ってすごく大きいと思うので、ＳＦが元気になってくれると日本の科学技術も元気になるんだろうなっていう気はしますよね。

——フィクションから研究の着想を得るということもあるんでしょうか？

松尾：自分がそうしたフィクションから着想を得て考えるようになったのか、もともと考えていたことだったからＳＦが面白いと思うのか、もはやどっちなのかわからないですけど、僕にとってＳＦは「そういうものもあるよね」って思っていたことを描いてくれるもの。だから、自分の考えが補強されるように感じるんだと思います。

■「人間とは何か」が揺らぐ時代

――松尾先生がSFを書かれたり、創作側に回られたりしたことはあるんでしょうか？

松尾：書いたことはないですが、コンテンツの力を借りたいなと思ったことはあります。2015〜16年頃にディープラーニングという言葉が広まったときに、ディープラーニングがどういうふうに世の中を変え得るかを伝えるためには明らかにSFの力を借りたほうがよくて。物語を通じてこの技術のことを理解してくれる人が広がればと思ってプロットを作ったりしたんですけど、結局誰も乗ってくれなかったんですよね。

――松尾さん自身が小説を書かれるという道も残っているような気がするんですが、そういった可能性はあり得ますか？

松尾：小説を書くにはディテールが非常に大事じゃないですか。そうした細かいところの完成度を上げるのはすごく大変なので、あまりできる気がしないというか。僕がある日、東大をクビになったらペンネームで書くかもしれないですけど（笑）。

安野：そんな時代は来ない気がしますが（笑）、仮に松尾先生が小説を書くとなったら、深掘りしてみたいテーマはありますか？

松尾：人類はこれから大きく変わっていくので、そういうこととか、科学技術とはそもそも何かとか、書きたいことたくさんありますよ。たとえば、科学技術って人間の理解の範囲内の理論化ですよね、ということがこれからバレてくるんですよ。偉そうな物理学者がまったく理解できないような定式化の仕方とかがAIによってわかってくる。そうすると、いままでの人間の理解がいかに限定的だったかがわかる。すべての分野でそうしたことが起こってくるし、そもそも学問領域が分かれていること自体がそれを物語っているわけで。

それから「仕事とは何か」ということも、みんなちゃんと理解していない気がしていて。よく「AIで仕事がなくなる」と言われますけど、なくなるわけないじゃんと思っています。人間の仕事が生産に寄与している、という思い上がりはもうやめたほうがよくて、農業や資源採掘をやっている人なんてほとんどいないわけですよ。それでも、たとえば数社のビールメーカーがシェアを奪い合ったりしているわけです。ビールは十分うまいのに、新商品のなんとかビールとか冬のビールとかを発表して、売上が上がったとか下がったとか、勝った負けたとか言っている。それを大真面目に、何万人・何十万人がやっているわけですよ。
結局、人間には「味方を集めて敵と戦う」という習性があって、それが面白いんです。人間は社会的動物だから、味方を定義して、敵と戦うことによって脳の報酬系が出て、それが好きなんですよね。人間とはそういうもので、AIがいくら発展しようが、味方を作って敵と戦うんだけど、そこにおいては人間同士の相対的な優劣が重要で。相対的に優れていると認められる人が上にのぼっていくし、そうじゃない人が失脚することになる。

——それはある種のゲームですね。

松尾：そうなんです。味方を作って敵と戦う、ということをやっているだけ。それが結局「仕事」なんですね。そう思うと、仕事がなくなるわけないじゃないですか。
そういう意味では、人間は進化的なものに縛られ過ぎていますよね。進化的な報酬系と感情に縛られている。ところが、報酬系をコントロールできるようになった瞬間に、これまた世界が大きく変わるんです。何にでも自分がモチベーションを感じられるようになるので非常に危険なんだけど、これを上手にコントロールできるようになったらどうなるのか。

――グレッグ・イーガンの『しあわせの理由』がそういう話ですね。

松尾：そうですね。あとは『サピエンス全史』の終わり方がそうなんですよね。欲望自体がコントロール可能になったときに、我々は何を願うんだろう？　と。

――そんな時代に、安野さんは、今後どういうSFを書いていきたいですか。

安野：いま書いている長篇は、まさにさっき言っていた仕事がテーマのものです。AIが発展したときに、仕事ってどうなるんだろうなっていうのを最近ずっと考えていたので、いまの松尾先生の新解釈はすごく参考になりますね。最後に松尾先生に聞いてみたかったのは、小説の執筆も結構機械ができるようになると思うんですよね。そういうなかで、いま、機械ができていないボトルネックってどこにあるんだろうみたいなところを最近思っていて。

松尾：現状のLLM（大規模言語モデル）はボトルネックがありますけど、5年とか10年とかのレベルでいうと、いずれなくなりますよね。どうなるんでしょうね。

安野：人間が書くことはやめないと思うんですよね。そういうゲームはやっぱり楽しいし、自分のために書いている人もたくさんいらっしゃる。ただ、クオリティが高い商業作品がAI生成でガンガン出てくるようになると、またちょっと風景が違うようになるだろうなっていうのは思います。

――この先「人間とは何か」が変わっていくなかで、人類のアイデンティティ・クライシスみたいなことが起きていくだろうと思うんです。それは結構大変なことだと思うんですけど、そのときにSFが手助けになるんじゃないかなと何となく思うんです。人間観が変わっていく未来を想像していくために、松尾先生がいまSFに期待するのはどんなことでしょうか？

松尾：アイデンティティ・クライシスを避けることはできないけれど、まずはそういうものだと理解することですよね。昔は人間は動物じゃなかったわけで、神様に次ぐ存在だった。でも、本当はそうじゃなくて、人間はホモ・サピエンスだということがわかってきたわけですよね。未だに人間の知能や意識だけが特別扱いされていて、人間にできて、機械にできないことがあると信じられているけれど、そんなわけないということもわかってきます。

そうやって、生命や知能の主体は一体何なのか、ということの理解がどんどん変わっていく時代が来ますし、言い換えれば、人類の化けの皮が剝がれるようなことがたくさん起こっていく。これから先、「人間とは何か」ということがめちゃくちゃ揺らぐ時代が明らかに来るんです。そういうときに、いろんな心の葛藤とか社会の変化が起こっていくはずで、これからのＳＦにはそういうことを描いてほしいですよね。

あとがき：人工知能と物語の未来について

以上が、我々の調査内容である。いかがだったであろうか。最後に、私から所感を述べておきたい。

今回のインタビュー調査を経て一つ、大きな共通点として気づいたのは、人工知能という分野と、ＳＦの相性の良さである。

人工知能という分野は、いわば「考えさせることを考える」分野だ。哲学は「考えることを考える」学問と呼ばれるが、人工知能の場合は、自分ではなく、他の何者かが「考える」ことを設計しなければならない学問である。そのためには自分自身がどう考えているかを高所に立って分析し、それを理解可能な形の論理に落とし込んで実装してやる必要がある。

人間と同じような知能を作る試みは、ある意味では物理学における万物の理論（統一場理論）と同じように、世界に対する根源的な問いの一つである。しかし極地を探る万物の理論の探索の厳しさと異なり、人工知能の探索は、自分の内面の迷宮、形を変えるジャングルに入っていくような独特の難しさがある。考えるという行為は誰もが行っているがゆえに、一見親しみやすく、それでいて何もわからないという罠がある。自分たちのやっている行為を一度大局的な観点から見直し、価値づけしないといけない苦しみがある。

こうした試みにおいて、ＳＦがもたらす世界構築能力や、価値観転換の視点は手助けになる。ＳＦは世界を設計し、その世界に登場する登場人物たち（必ずしも人間とは限らない）のドラマを描く。メタな視点で構造を分析し、シミュレーションし、描くという能力は、ある意味では研究者の専門性、特に、人工知能に興味を持つような研究者の精神性に近いところがある。

なお、こうした思考法は研究者に特有かと言うと、もっと一般的なものであるように思われる。世界を仮定し、その中での価値観を模索し、そこで起きうるドラマを問う、というのは多かれ少なかれ我々が未来を検討する際に行っている普遍的な営みであると言える。そうした試みを、ＳＦが手助けしている。昨今着目されるＳＦプロトタイピングも、その実践の一つと言えるだろう。

ＳＦは科学技術を伝える手段として理解されることがあるが、研究者たちは当然、自分の専門知識は物語ではなく、論文から得る。では彼らは何を物語に求めているかと言えば、新しい発想である。自分たち以上に発想をぶっ飛ばしてくれるようなもの、そうしたものこそ、物語から得られる価値であるように思う。

だから、ＳＦを読もうという主張をする気はない。そういった価値など捨て置いて、面白い物語を読めば良いと思う。今回のインタビュー調査で話を伺った方々も、そうやって物語を読んできたのだ。

ただ、自分の持っている価値観に限界を感じたり、新しい発想に困ったりしているのであれば、ＳＦを読んでみることが一つの手助けになるのかもしれない。人工知能という分野は、そうやって生まれてきたものだ。

さて、人工知能とＳＦに関しては、昨今の流れから触れておかなければならないことがある。これまでの人類史において、物語の制作に責任を負うのは、基本的には人間であった。ＳＦに限らず物語は、人間が語り、人間が読むというのが大前提であったと言える。しかし、発展する人工知能技術、特に昨今盛んな生成ＡＩ技術は、こうしたサイクルの中に深く入り込み、一部を置き換えつつある。

また、出版産業の縮退に伴い、作家の活躍の仕方自体も広がりつつある。従来のように、作家が作品を書き、それが出版され読まれる、という形でないサイクルも生まれつつある。ＳＦプロトタイピングのように、専門家と作家がお互い議論しながら、協働で未来のビジョンとしての物語を作る、などがそうだ。

このサイクルがどのような着地点を迎えるか私にはわからないが、人類の想像力や物語の役割が丸ごと見直される大きな変革期になる、という感覚はある。現在、文学、心理学、情報学、経営学、アートの研究者と共同で、人類の想像力に関する学問を進められないか、考えている。

最後にまず、AIxSFプロジェクトにおける本インタビューのベースとなった、オーラルヒストリー調査に対する支援を頂いた、科学技術振興機構（JST）社会技術研究開発センター（RISTEX）の「人と情報のエコシステム（HITE）」への感謝を述べておきたい。領域総括の國領二郎先生をはじめとして、様々な先生方にアドバイスを頂いた。SF調査に研究資源を投資する価値がある、と判断していただいたことは、大変重要な転換点であったと思う。この期待を受け継いでいきたい。

また、もう一点、年表に書かれた『ロボット・オペラ』含め、SFと科学技術、特にロボットと社会について、作家の側から研究者との交流を紡いできた先駆者であり、日本SF作家クラブの第16代会長も務められていた瀬名秀明氏に、一方的ではあるが個人的な感謝を述べたい。私はSFが好きな一研究者に過ぎなかったが、氏がこれまで研究者と共同で行ってきた様々な活動に勇気づけられ、この道に踏み込んだ人物でもある。物語と社会の関係について考え、後に引き継いでいきたい。

慶應義塾大学理工学部准教授／サイエンスフィクション研究開発・実装センター所長
大澤博隆

「AIを生んだ100のSF」年表

※太字は作品名。本書所収のインタビュー・コラムで言及されている作品をもとに、監修者・編者の協議によって追加や削除をおこない、100点選出した。

1637 デカルト『方法序説』発表。

1738 ジャック・ド・ヴォーカンソン「機械あひる」製作。

1769 ヴォルフガング・フォン・ケンペレン「トルコ人」製作。

1818 **メアリ・シェリー『フランケンシュタイン』**

1822 チャールズ・バベッジによる階差機関の再発明。

1843 エイダ・ラブレス *Sketch of the Analytical Engine invented by Charles Babbage Esq* 執筆。

1870 **ジュール・ヴェルヌ『海底二万里』**

1886 **ヴィリエ・ド・リラダン『未来のイヴ』**

1911 **ヒューゴー・ガーンズバック『ラルフ124C41+』**

1920 **カレル・チャペック『R.U.R』**

1923 『R.U.R』ロンドンで上演。初めて「ロボット」という言葉が用いられる。

1927 ヨハネス・ヴィンクラーらによる宇宙旅行協会（VfR）の設立。

1928　フリッツ・ラング『メトロポリス』
西村真琴「學天則」製作。

1931　クルト・ゲーデル『ゲーデルの不完全性定理』証明。

1938　H・G・ウエルズ『世界の頭脳』発表。「世界百科事典」の提案。

1943　ウォーレン・マカロックとウォルター・ピッツ *A Logical Calculus of the Ideas Immanent in Nervous Activity* 刊行。ニューラルネットワークの基礎となる。
アルトゥーロ・ローゼンブリュート、ノーバート・ウィーナー、ジュリアン・ビゲローが論文で「サイバネティクス」という言葉を用いる。

1944　ジョン・フォン・ノイマン、オスカー・モルゲンシュテルン『ゲームの理論と経済行動』刊行。

1945　ヴァネヴァー・ブッシュ *As We May Think* 刊行。将来、コンピューターが人間の活動を補助することを予見。
太平洋戦争終戦。

1946　ジョン・モークリーとジョン・プレスパー・エッカートがコンピューターENIACを開発（大規模に実用化された最初の計算機）。
日本国憲法公布。

1947　アラン・チューリングがロンドン数学学会の講義で現在の人工知能の概念を提唱。

1948　第一次中東戦争。

1949 NATO設立。
ジョージ・オーウェル『一九八四年』

1950 ジョン・フォン・ノイマンによる自己増殖オートマトンの考案。

アラン・チューリングによるチューリングテストの考案。

クロード・シャノンが探索問題としてのチェスの解析を実施。

アイザック・アシモフがジョン・W・キャンベルの協力を得て「ロボット三原則」を発表。

アイザック・アシモフ『われはロボット』

1951 マービン・ミンスキーとディーン・エドモンズが40個のニューロンをシミュレートするシステム「SNARC」を製作。
サンフランシスコ講和条約・日米安全保障条約調印。

1952 アーサー・サミュエルがチェッカーのプログラムを作成。
手塚治虫『鉄腕アトム』
アーサー・C・クラーク『幼年期の終り』

1953 ローゼンバーグ事件。

1954 第五福竜丸事件。
手塚治虫『火の鳥』
本多猪四郎『ゴジラ』

1955 アメリカ・カリフォルニア州で最初のディズニーランドが開業。

1956 ダートマス会議。ジョン・マッカーシーによる「Artificial Intelligence（人工知能）」の語の使用。
国連総会、日本の国連加盟を全会一致で可決。

1957 **ロバート・A・ハインライン『夏への扉』**
ハーバート・サイモンとアレン・ニューウェルによるGeneral Problem Solver（GPS）の製作。
ソ連による世界初の人工衛星、スプートニク1号打ち上げ成功。

1958 ジョン・マッカーシーによるLISP言語の開発。
リチャード・フリードバーグによる機械進化（現在の遺伝的アルゴリズム）の実験。
アメリカ初の人工衛星、エクスプローラー1号打ち上げ成功。NASAの正式な発足。

1959 マーガレット・マスターマンらによる機械翻訳における意味ネットワークの使用。
〈S-Fマガジン〉創刊。

1960 バーナード・ヴィドロウによるHebbのニューラルネットの学習則の拡張。
ネイサン・クライン「サイボーグと宇宙」発表。「サイボーグ」の初出。

1961 ジェームズ・スレイグルによる最初の symbol integration を行うプログラム「SAINT」の作成。
ベルリンの壁建設。

第2室戸台風。

1962

スタニスワフ・レム『ソラリス』

最初の工業ロボット企業 Unimation 創設。

フランク・ローゼンブラットがヴィドロウのニューラルネットをパーセプトロンと呼び、その集束定理を示す。

キューバ危機。

1963

アイバン・サザランドが対話的なグラフィックの利用をコンピューターに導入したスケッチパッドの論文を発表。

1964

ベルトラム・ラファエルによる、Q&Aシステムでの知識の論理表現の能力を示したSIRプログラムの発表。

東京オリンピック開催。東海道新幹線開業。

石森章太郎「サイボーグ009」

小松左京『日本アパッチ族』

スタニスワフ・レム『砂漠の惑星』

1965

ジョセフ・ワイゼンバウムによるELIZAの開発。

ロトフィ・ザデーによるファジー集合の提唱。

ロバート・A・ハインライン『月は無慈悲な夜の女王』

1966

ピアス勧告。機械翻訳研究に対する財政支援が打ち切られ、以降の研究が停滞。

文化大革命。

1967

ジーン・ロッデンベリー『スター・トレック』

DENDRALによる生体の化合物の質量スペクトルの解析。科学解析において成功した最初の知識ベースのプログラム。

Macymaの開発。数学において成功した最初の知識ベースのプログラム。

リチャード・グリーンブラットによる知識ベースのチェスプログラム「マックハック」の製作。

1968

マービン・ミンスキーとシーモア・パパート『パーセプトロン』出版。単層ニューラルネットであるパーセプトロンの限界の指摘。

映画『2001年宇宙の旅』公開。制作チームにはNASA職員がアドバイザーとして参加。

ダグラス・エンゲルバートによるNLSのデモ。

三億円事件。

アーサー・C・クラーク『2001年宇宙の旅』

ケン・ヒューズ『チキ・チキ・バン・バン』

フィリップ・K・ディック『アンドロイドは電気羊の夢を見るか?』

フランクリン・J・シャフナー『猿の惑星』

1969

ジョン・マッカーシーとパトリック・ヘイズによる「フレーム問題」の指摘。

軍事用ネットワークARPA-net稼働開始。
アポロ11号が世界初の有人月面着陸に成功。
カート・ヴォネガット・ジュニア『スローターハウス5』
藤子不二雄『ドラえもん』
星新一「声の網」

1970
大阪万博開催。
エドガー・フランク・コッドがリレーショナル・データベースを開発。
MIT人工知能研究所設立。

1971
テリー・ウィノグラードによる、積み木遊びで使われる英語を理解する人工知能「SHRDLU」のデモ。
ソ連による世界初の宇宙ステーション・サリュート1号打ち上げ成功。

1972
アラン・カルメラウアーによるプログラミング言語「Prolog」の開発。
スティーブン・クックとリチャード・マニング・カープがNP完全性の理論を発表。
あさま山荘事件。
永井豪『マジンガーZ』

1973
ライトヒル勧告。組合せ爆発問題が指摘され、イギリスでは二大学を除きAI研究の補助金が打ち切り。
ドバイ日航機ハイジャック事件。

アーシュラ・K・ル・グィン「オメラスから歩み去る人々」
小松左京『日本沈没』
ミヒャエル・エンデ『モモ』
ジェイムズ・ティプトリー・ジュニア「接続された女」

1974 アレシボ・メッセージの発信。初のActive SETI(能動的地球外知的生命体探査)。

1975 Meta-Dendralプログラムが化学分野で新規の結果を得る。コンピューターを用いてなされた、学会誌で認められた最初の科学的発見。
ジョン・ヘンリー・ホランドが「遺伝アルゴリズム」の語を「機械進化」のかわりに使用。
SmallTalk言語と現在のGUIの原型となるAltoの開発。オブジェクト指向プログラミングとグラフィカル・ユーザー・インターフェースの確立。
萩尾望都『11人いる!』

1976 イーサネットの開発。インターネット通信規格の基礎となる。
アップルコンピュータ社設立。

1977 無人宇宙探査機ボイジャー1号、2号打ち上げ成功。
松本零士『銀河鉄道999』
ジェイムズ・P・ホーガン『星を継ぐもの』
ジョージ・ルーカス『スター・ウォーズ』

1978　クリストファー・ラングトンによる人工生命の研究の開始。
デニス・リッチーによるC言語の開発。
1979　ハンス・モラベックによる「スタンフォード・カート」の開発。コンピューター制御による最初の自律した車。
ダン・ブリックリン、ボブ・フランクストンによる最初の表計算ソフト「Visi calc」の発表。
スティーブン・M・ベロビンらによるネットニュースの原型「USENET」の稼働開始。
神林長平『戦闘妖精・雪風』
サンライズ『機動戦士ガンダム』
ジェイムズ・P・ホーガン『未来の二つの顔』
ミヒャエル・エンデ『はてしない物語』
リドリー・スコット『エイリアン』
1980　黒板モデルの発表。音声理解システムHEARSAY-Ⅱで使用。
イラン・イラク戦争。
1981　ダニエル・ヒリスによる非常に並列性の高いコネクションマシンの設計。
スペースシャトルの飛行開始。
宇宙科学研究所（ISAS）の創設。

1982
ヴァーナー・ヴィンジ『マイクロチップの魔術師』
ダグラス・ホフスタッター&ダニエル・デネット編『マインズ・アイ』
超並列で論理型言語を実行するコンピューターと自然言語の理解などを目標とした「第五世代コンピュータ計画」が日本で開始。
石原藤夫『宇宙船オロモルフ号の冒険』
ジェイムズ・P・ホーガン『断絶への航海』
スタジオぬえ『超時空要塞マクロス』
リドリー・スコット『ブレードランナー』
スティーブン・リズバーガー『トロン』

1983
アレン・ニューウェルらが認知アーキテクチャ「SOAR」を発表。
任天堂「ファミリーコンピュータ」発売。
ナムコ『ゼビウス』

1984
ダグラス・レナートによる、常識をコンピューターに蓄積する「CYCプロジェクト」の開始。
ジェームズ・キャメロン『ターミネーター』

1985
つくば科学万博開催。
ダナ・ハラウェイ「サイボーグ宣言」発表。
日本航空123便墜落事故。

1986
ロバート・ゼメキス『バック・トゥ・ザ・フューチャー』
日本人工知能学会の設立。
ロドニー・ブルックスによるサブサンプション・アーキテクチャの提唱。
チェルノブイリ原発事故。
任天堂『メトロイド』

1987
マービン・ミンスキー『心の社会』出版。
ポール・バーホーベン『ロボコップ』

1988
ジューディア・パールによる信念ネットワークの定式化。
ゆうきまさみ『機動警察パトレイバー』

1989
ウィリアム・ブライアン・アーサーによる人工株式市場の構築。
ティム・バーナーズ＝リーによるWWWの開発。
昭和天皇崩御。「平成」に改元。
士郎正宗『攻殻機動隊』

1990
ジョン・コザによる遺伝的プログラミングの開始。
任天堂「スーパーファミコン」発売。
湾岸戦争。
岩本隆雄『星虫』
田村由美『BASARA』

1991　バブル崩壊。

トマス・S・レイによる、人工生命プログラム「ティエラ」の基礎となる論文 Evolution and optimization of digital organisms 発表。

冷戦の終結。ソ連の崩壊。

サンライズ『新世紀GPXサイバーフォーミュラ』

1992　国際宇宙基地協力協定が発効。国際宇宙ステーション（ISS）の開発に着手。

1993　EU設立。
エイミー・トムスン『ヴァーチャル・ガール』
NHK『天才てれびくん』

1994　ソニー「PlayStation」発売。
グレッグ・イーガン『順列都市』

1995　「Microsoft Windows 95」発売。
阪神・淡路大震災。
地下鉄サリン事件。
ガイナックス『新世紀エヴァンゲリオン』
ニール・スティーヴンスン『ダイヤモンド・エイジ』

1996　バンダイ「たまごっち」発売。
「データマイニング」という研究分野の定義。

1997　**ゲームフリーク『ポケットモンスター』**
チェスプログラム「ディープブルー」がチェスチャンピオンのガルリ・カスパロフに勝利。
第一回ロボカップ開催。北野宏明・浅田稔・松原仁の主導。
テレビアニメ『ポケットモンスター』第38話の一部視聴者が光過敏性発作などを起こし救急搬送される「ポリゴンショック」発生。
大槻ケンヂ『ステーシー』
尾田栄一郎『ONE PIECE』
グレッグ・イーガン『しあわせの理由』
1998　タイガー・エレクトロニクス社「ファービー」発売。
Google 創業。
1999　ソニー「AIBO」発売。
ラナ・ウォシャウスキー&リリー・ウォシャウスキー『マトリックス』
2000　本田技研工業／ホンダエンジニアリング「ASIMO」発表。
2001　9・11同時多発テロ。レスキューロボットの現場での活躍。
スティーヴン・スピルバーグ『A.I.』
2002　アイロボット社「ルンバ」販売開始。
2003　SARS流行。

宇宙航空研究開発機構（ＪＡＸＡ）発足。
あさのあつこ『NO.6』

2004
菅浩江『プレシャス・ライアー』
「ＤＡＲＰＡグランドチャレンジ」がスタート。
瀬名秀明：編『ロボット・オペラ』刊行。
Winny 事件。ソフト開発者の逮捕。

2005
アンディ・クラーク『生まれながらのサイボーグ』
レイ・カーツワイル『シンギュラリティは近い――人類が生命を超越するとき』刊行。
２０４５年にシンギュラリティが起こると予言。
瀬名秀明『デカルトの密室』

2006
ディープラーニングの実用方法が登場。第三次ＡＩブームのきっかけとなる。
北朝鮮による初の核実験。
ニコニコ動画（仮）公開。
サンライズ『ゼーガペイン』
山本弘『アイの物語』
劉慈欣『三体』

2007
山中伸弥ら京都大学の研究グループによる iPS 細胞の発表。
アップル「iPhone」発売。

「初音ミク」発売。
磯光雄『電脳コイル』
円城塔『Self-Reference ENGINE』

2008
世界金融危機。
サトシ・ナカモト、ビットコインの基礎となる論文を投稿。
「テスラ・ロードスター」発売。
伊藤計劃『ハーモニー』

2009
バラク・オバマ、第44代アメリカ合衆国大統領就任。
鳩山由紀夫内閣が誕生。自由民主党から民主党への政権交代。
ニール・ブロムカンプ『第9地区』

2010
将棋「電王戦」がスタート。コンピューターソフト「あから2010」が女流王将の清水市代に勝利。
小惑星探査機「はやぶさ」イトカワより帰還。
Parrot社「AR.Drone」発売。初の一般向けドローン。
クリストファー・ノーラン『インセプション』
グレッグ・イーガン『ゼンデギ』
業田良家『機械仕掛けの愛』
テッド・チャン「ソフトウェア・オブジェクトのライフサイクル」

2011
iPhone 4Sに「Siri」搭載。
「ロボットは東大に入れるか」プロジェクトがスタート。
東日本大震災。

2012
画像認識の向上で画像データから「猫」の特定が可能となる。
人工知能学会・SF作家クラブ共催でSFショートショート連載を学会誌で開始。
スーパーコンピューター「京」完成。
プロダクション・アイジー『PSYCHO-PASS サイコパス』
長谷敏司『BEATLESS』
森本梢子『アシガール』

2013
深層学習と強化学習を組み合わせたアルゴリズム「DQN（Deep Q-Network）」開発。
ジェフリー・ヒントンのDNNresearchをGoogleが買収。
あずみきし『死役所』
スパイク・ジョーンズ『her／世界でひとつの彼女』
野﨑まど『know』

2014
デミス・ハサビス率いる英国のAIスタートアップ・DeepMindをGoogleが買収。

ソフトバンクロボティクス「Pepper」発売。

人工知能学会「倫理委員会」設立。

バーチャルアシスタントAI「アレクサ」開発。

2015

ウォーリー・フィスター『トランセンデンス』

イーロン・マスクらが1000億円以上をOpenAIに寄付。

GoogleがAIを用いた画像処理アルゴリズム「Deep Dream」を公開。

山田胡瓜『AIの遺電子』

アレックス・ガーランド『エクス・マキナ』

2016

コンピューター囲碁プログラム「アルファ碁」がプロ棋士に初勝利。

イギリスがEU離脱を決定。

VRヘッドセット「Oculus Rift」発売。

イダ・ティンが女性の健康課題のテクノロジーによる解決を目指す「FemTech」を提案。

バーチャルYouTuber「キズナアイ」活動開始。

人種差別的な顔認証システムなどの解決を目指し、ジョイ・ブオラムウィーニによるアルゴリズミック・ジャスティス・リーグ（AJL）設立。

2017

ドナルド・トランプ、第45代アメリカ合衆国大統領就任。

深層学習モデル「Transformer」発表。

アシロマAI会議における「アシロマAI23原則」の発表。

#MeToo運動の広がり。

SF雑誌〈科幻世界〉編集部の所在地である四川省成都市が「成都科幻宣言」を発表。

川添愛『自動人形の城』

2018
藤井太洋『公正的戦闘規範』
マーサ・ウェルズ『マーダーボット・ダイアリー』
クリスティーズのオークションにＡＩを使って制作した作品「Edmond De Belamy」が初出品。予想落札価格の43倍となる約４８００万円で落札。
スティーヴン・スピルバーグ『レディ・プレイヤー1』
デヴィッド・ケイジ『デトロイトビカムヒューマン』
富永浩史『鋼鉄の犬』
野木亜紀子『アンナチュラル』

2019
COVID-19流行開始。
憲政史上初の譲位。「令和」に改元。

2020
大規模言語モデル「GPT-3」リリース。
ＢＬＭ運動の隆盛。

2021
スーパーコンピューター「富岳」稼働開始。
アメリカ合衆国議会議事堂襲撃事件。

2022
OpenAIによるＡＩチャットボット「ChatGPT」を発表。「Midjourney」「Stable Diffusion」など画像生成ＡＩサービスが次々と登場。
星新一賞に「ＡＩと作った小説」が初入選。ＡＩが生成したあらすじを基に執筆された葦沢かもめ『あなたはそこにいますか?』が一般部門優秀賞受賞。

Googleのエンジニアが、対話型ＡＩ「LaMDA」に意識が芽生えたと主張。

ロシア＝ウクライナ戦争。軍事用ドローンの大規模な使用。

２０２３

安野貴博『サーキット・スイッチャー』

「Sony World Photography Awards ２０２３」にて最優秀賞を受賞したドイツ人アーティストのボリス・エルダグセンが、受賞後にＡＩを用いて作品づくりを行なったことを明かす。

OpenAIサム・アルトマンが〈ＴＩＭＥ〉誌「CEO OF THE YEAR」に選出。

ジェフリー・ヒントンがGoogleを退社。自らが開発を率いたＡＩの進化に警鐘を鳴らす。

「広島ＡＩプロセス包括的政策枠組み」策定。

大規模言語モデル「LLaMA-65B」データ流出事件。

２０２４

九段理江『東京都同情塔』が第１７０回芥川賞を受賞。「全体の５％ぐらいは生成ＡＩの文章をそのまま使っているところがある」の発言も話題に。

能登半島地震。

一ノ瀬翔太、石川大我
・構成：宮本道人

対談　「人間とは何か」が揺らぐ時代にSFが描かなければいけないこと
松尾豊×安野貴博

・本書初出
・取材：2024年1月18日／東京大学本郷キャンパス
・参加者：大澤博隆、宮本裕人、一ノ瀬翔太、石川大我
・構成：宮本裕人

コラム③　「物語ること」の連続性について　長谷敏司

・書き下ろし

あとがき　大澤博隆

・書き下ろし

年表　AI × SF プロジェクト

・書き下ろし

第6章　ストーリーに書けないものが見たい　池上高志
・初出：〈S-F マガジン〉2020年10月号
・取材：2019年９月10日／東京大学駒場キャンパス
・インタビュー参加者：大澤博隆、西條玲奈、長谷敏司、宮本道人、一ノ瀬翔太
・構成：宮本道人
コラム②　SF実社会に応用する　福地健太郎
・書き下ろし
第7章　情念が実体化するとき　米澤朋子
・初出：〈S-F マガジン〉2020年12月号
・取材：2020年８月４日／オンライン取材
・インタビュー参加者：大澤博隆、福地健太郎、宮本道人、宮本裕人、一ノ瀬翔太
・構成：宮本裕人
第8章　ＳＦは極めて貴重な資源　三宅陽一郎
・初出：〈S-F マガジン〉2021年2月号
・取材：2020年10月５日／オンライン取材
・インタビュー参加者：大澤博隆、西條玲奈、長谷敏司、宮本道人、宮本裕人、一ノ瀬翔太
・構成：宮本道人
第9章　ディストピアに学ぶこと　保江かな子
・初出：〈S-F マガジン〉2021年4月号
・2020年10月８日／オンライン取材
・インタビュー参加者：大澤博隆、長谷敏司、宮本道人、宮本裕人、一ノ瀬翔太
・構成：宮本裕人
第10章　イノベーションの練習問題　坂村健
・初出：〈S-F マガジン〉2021年6月号
・取材：2021年１月29日／オンライン取材
・インタビュー参加者：大澤博隆、長谷敏司、福地健太郎、宮本道人、宮本裕人、一ノ瀬翔太
・構成：宮本道人
第11章　研究からフィクションへ　川添愛
・本書初出
・取材：2024年１月15日／下北沢
・インタビュー参加者：大澤博隆、長谷敏司、宮本道人、宮本裕人、

初出一覧

まえがき　大澤博隆

・書き下ろし

第1章　思考のストッパーを外せ　暦本純一

・初出：〈S-F マガジン〉2019年12月号
・取材：2019年7月3日／東京大学本郷キャンパス
・インタビュー参加者：大澤博隆、福地健太郎、宮本裕人、一ノ瀬翔太
・構成：宮本裕人

第2章　「歩行」に魅せられて　梶田秀司

・初出：〈S-F マガジン〉2020年2月号
・取材：2019年8月27日／産業技術総合研究所
・インタビュー参加者：大澤博隆、長谷敏司、宮本道人、宮本裕人、一ノ瀬翔太
・構成：宮本道人

第3章　「自分とは何か」を考えるためにＳＦを読んできた　松原仁

・初出：〈S-F マガジン〉2020年4月号
・取材：2019年8月29日／九段下
・インタビュー参加者：大澤博隆、長谷敏司、西條玲奈、宮本道人、宮本裕人、一ノ瀬翔太
・構成：宮本裕人

コラム①　AI のジェンダー化　西條玲奈

・書き下ろし

第4章　「人間」の謎解きを楽しむ　原田悦子

・初出：〈S-F マガジン〉2020年6月号
・取材：2020年1月14日／京都大学東京オフィス
・インタビュー参加者：大澤博隆、福地健太郎、長谷敏司、西條玲奈、宮本道人、宮本裕人、一ノ瀬翔太
・構成：宮本道人

第5章　身体という「距離」を超える　南澤孝太

・初出：〈S-F マガジン〉2020 年 8月号
・取材：2020年1月21日／慶應義塾大学日吉キャンパス
・インタビュー参加者：大澤博隆、長谷敏司、西條玲奈、宮本道人、宮本裕人、一ノ瀬翔太
・構成：宮本裕人

監修者・編者略歴

大澤博隆（おおさわ・ひろたか）
「AIxSF プロジェクト」主宰、慶應義塾大学理工学部准教授、筑波大学客員准教授、慶應 SF センター所長、日本 SF 作家クラブ第 21 代会長。博士（工学）。専門はヒューマンエージェントインタラクション。

宮本道人（みやもと・どうじん）
空想科学コミュニケーター。北海道大学 CoSTEP 特任助教、東京大学 VR センター客員研究員。博士（理学）。著書に『古びた未来をどう壊す？』、編著に『SF 思考』、『SF プロトタイピング』など。

宮本裕人（みやもと・ゆうと）
フリーランスの編集者・ライター・翻訳家。ミスフィッツ（はみ出し者）のストーリーを伝える出版スタジオ「Troublemakers Publishing」としても活動中。

西條玲奈（さいじょう・れいな）
哲学者。東京電機大学工学部人間科学系列助教。博士（文学）。専門は分析哲学、フェミニスト哲学、ロボット倫理。共著に『クリティカル・ワード ファッションスタディーズ――私と社会と衣服の関係』など。

福地健太郎（ふくち・けんたろう）
明治大学総合数理学部教授。博士（理学）。情報処理学会会誌『情報処理』副編集長。専門はインタラクティブメディア、ユーザーインタフェース、エンタテインメント応用など。

長谷敏司（はせ・さとし）
小説家。関西大学卒。代表作に『BEATLESS』（2018 年アニメ放映）、『My Humanity』（第 35 回 SF 大賞）、『プロトコル・オブ・ヒューマニティ』（第 54 回星雲賞［日本長編部門］および第 44 回日本 SF 大賞）。

ハヤカワ新書　023

AIを生んだ100のSF

二〇二四年四月二十日　初版印刷
二〇二四年四月二十五日　初版発行

監修・編者　大澤博隆
編　　者　宮本道人
　　　　　宮本裕人
発 行 者　早川　浩
印 刷 所　株式会社精興社
製 本 所　株式会社フォーネット社
発 行 所　株式会社　早川書房
東京都千代田区神田多町二ノ二
電話　〇三‐三二五二‐三一一一
振替　〇〇一六〇‐三‐四七七九九
https://www.hayakawa-online.co.jp

ISBN978-4-15-340023-8 C0295

定価はカバーに表示してあります

乱丁・落丁本は小社制作部宛お送り下さい。
送料小社負担にてお取りかえいたします。

未知への扉をひらく

「ハヤカワ新書」創刊のことば

誰しも、多かれ少なかれ好奇心と疑心を持っている。

そして、その先に在る納得が行く答えを見つけようとするのも人間の常である。それには書物を繙いて確かめるのが堅実といえよう。インターネットが普及して久しいが、紙に印字された言葉の持つ深遠さは私たちの頭脳を活性して、かつ気持ちに余裕を持たせてくれる。

「ハヤカワ新書」は、切れ味鋭い執筆者が政治、経済、教育、医学、芸術、歴史をはじめとする各分野の森羅万象を的確に捉え、生きた知識をより豊かにする読み物である。

早川浩